C'est moi qui cuisine...
OUI CHEF !

Préface de **Cyril Lignac**

Aude de Galard & **Leslie Gogois**

SOMMAIRE

Signification des symboles

Avis aux non-initiés, j'ai conçu ce livre pour vous. Parce qu'entre l'envie de cuisiner et le passage à l'acte, il n'y a qu'un pas... que je vais vous aider à franchir haut la main. Laissez-vous guider par cette sélection de recettes inratables ! Je vous dévoile ici tous mes filons pour faire vite et bien, sans qu'un vent de panique envahisse votre cuisine.

Cuisiner, c'est avant tout faire plaisir aux gens qu'on aime. Quoi de plus convivial qu'une grande tablée, en famille ou entre amis, autour d'un bon repas concocté par vos soins ? Alors, n'hésitez plus et lancez-vous dans ces recettes qui en jettent sans vous prendre la tête !

Ma passion pour la cuisine est venue de l'amour des bons produits et du temps passé aux fourneaux... Parce que, croyez-moi sur parole, plus on cuisine, plus on y prend goût. Et rappelez-vous qu'il n'y a pas de bonne cuisine sans bons produits... Alors prenez le temps de flâner sur les marchés et partez à la rencontre de nouvelles saveurs, c'est ça aussi la bonne cuisine ! Cela dit, avec ces 70 recettes, je vous prouve qu'on peut mettre les petits plats dans les grands pour trois francs six sous.

Alors, plus d'excuse, vous avez toutes les cartes en main pour vous lancer sereinement dans ces recettes. Et n'oubliez pas que je suis de tout cœur avec vous !

Cyril Lignac.

INTRODUCTION

Plus qu'un livre de cuisine, vous avez entre les mains un véritable guide de survie pour vous accompagner à vos fourneaux. Pas de panique, avec ces 70 recettes simplissimes et autant d'astuces, vous allez pouvoir recevoir à tour de bras votre tribu, tout en restant zen !

Pour chaque recette, toutes les étapes sont décryptées pas à pas pour éviter tout faux pas. On vous dévoile toutes les astuces pour aller plus vite, les coups de pouce qui simplifient la vie et le petit plus de Cyril pour donner des allures de grand chef à vos recettes.

Mais ce livre, c'est aussi un découpage original qui ne suit pas le traditionnel entrée-plat-dessert... Il sort des sentiers battus en proposant des recettes qui collent à votre mode de vie : des petits déjeuners en amoureux aux brunchs familiaux en passant par les dîners entre potes, vous ne serez jamais à court d'idées pour recevoir.

Comme tout guide de survie, ce livre est aussi truffé de conseils et d'infos pratiques pour maîtriser un dîner de A à Z... Entre les conseils vin, les clés d'un plateau-télé réussi, les astuces pour préparer un brunch en un clin d'œil ou bien encore tout pour assurer lors d'un dîner en tête-à-tête, vous épaterez la galerie sans effort !

Mais ce livre est aussi un rappel des bons basiques : que ce soit les 10 recettes incontournables que cuisinent toutes les mamans (ou presque !) ou les ingrédients indispensables à avoir sous la main, vous aurez toutes les clés pour concocter des recettes qui en jettent.

Et pour toujours plus de convivialité, on vous propose quelques formules magiques qui ont fait leurs preuves : barbecue, raclette ou fondue, dîner moules-frites ou encore soirée « cheese and wine », autant de concepts qui permettent de recevoir tous ses proches sans s'y prendre une semaine à l'avance.

Et surtout, rassurez-vous, même pour les plus débutants d'entre vous, toutes ces recettes sont extrêmement faciles à réaliser : pas de tour de main compliqué, pas de vocabulaire incompréhensible, juste un déroulé précis pour réussir à tous les coups. Alors, n'hésitez plus : avec un soupçon de bonne volonté et l'envie de bien faire, vous vous surprendrez vous-même par le résultat. Sans compter la fierté de pouvoir affirmer haut et fort : « C'est moi qui l'ai fait ! »

Vous n'avez plus qu'à vous laisser aller à votre gourmandise et à piocher les recettes qui vous vont bien.

ARSENAL DU DÉBUTANT

Voici un passage en revue de tous les ustensiles indispensables pour réussir vos recettes à tous les coups. En choisissant quelques basiques bien ciblés, vous serez équipé pour cuisiner comme un(e) pro. Pas question ici de vous donner une liste à rallonges mais seulement les essentiels qui vous permettront de réaliser un maximum de recettes.

NOTRE CONSEIL :
en cuisine, misez plutôt sur le long terme en privilégiant la qualité à la quantité. Quand on sait qu'une casserole dure en moyenne trente ans, autant miser sur le cheval gagnant le jour de l'achat.

POUR COUPER

1 COUTEAU À LÉGUMES
avec sa grande lame très large, vous couperez facilement toutes sortes de légumes.

1 COUTEAU À VIANDE
pour trancher, désosser, dégraisser et enlever les nerfs de toutes vos viandes.

1 COUTEAU D'OFFICE
un petit couteau à tout faire, pour les découpages minutieux.

1 COUTEAU ÉCONOME
qui sert à éplucher pommes de terre, courgettes ou carottes en un clin d'œil. Il est aussi très précieux pour réaliser des copeaux de parmesan ou bien de chocolat.

1 PLANCHE À DÉCOUPER
mieux vaut éviter le bois. Bien que décoratif, il a tendance à se déformer avec l'humidité. L'idéal reste le plastique dur.

POUR CUIRE

2 POÊLES ANTIADHÉSIVES
une petite et une grande.

3 CASSEROLES
une petite (pour les sauces et les portions individuelles), une moyenne et une grande à utiliser selon les proportions.

1 FAITOUT
pas indispensable si vous disposez d'une très grande casserole, mais tout de même idéal pour les gros volumes.

1 MOULE À TARTE
pour toutes vos quiches, tartes salées et sucrées.

1 PLAT À GRATIN
choisissez-le en porcelaine ou en Pyrex (qui résiste à la chaleur du four) pour 6 à 8 personnes. Au-delà de son utilisation première, il vous facilitera la vie pour vos marinades ou pour monter les blancs en neige.

1 MOULE À CAKE
pour réaliser des cakes sucrés et salés. Préférez-le antiadhésif pour faciliter le démoulage.

6 RAMEQUINS
pour réaliser des entrées ou des desserts individuels.

TOUT SAVOIR SUR LES MOULES SOUPLES

Pensez aux moules souples en silicone. Ces derniers-nés sont 100 % antiadhésifs : plus besoin de huiler ou de beurrer vos moules pour obtenir des démoulages au top.

POUR TOUT FAIRE

1 PRESSE-AïL

1 VERRE GRADUÉ
ou mieux, 1 balance pour bien
doser les ingrédients.

1 BATTEUR ÉLECTRiQUE
pour monter les blancs en neige
ou les mayonnaises.

1 ROBOT
pour hacher, pétrir, mixer...
Ça reste un investissement
mais on trouve désormais des
modèles plus accessibles.

1 MORTiER
pour émietter et concasser noix,
noisettes, biscuits et autres...

1 PiNCEAU ALiMENTAiRE
pour badigeonner les viandes,
les pâtes à tarte...

1 PRESSE-PURÉE
pour les purées maison.

LES PETITS PLUS

1 ROULEAU DE PAPIER SULFURISÉ
pour éviter que les aliments n'accrochent à la plaque du four lors de la cuisson.

DES CURE-DENTS
pour réaliser des mini-bouchées ou mini-brochettes. Idéal pour les apéros, brunchs et lunchs.

DES PAILLES
pour siroter vos cocktails à toute heure ; pensez à les couper en deux quand vous utilisez des petits verres.

POUR CHANGER

1 CAQUELON À FONDUE
pour des soirées conviviales et à mini-budgets. Le plus : vous pourrez aussi bien préparer des fondues savoyardes (voir p. 198) que bourguignonnes ou au chocolat (voir p. 118).

1 APPAREIL À RACLETTE
pour des soirées entre amis réussies. Un investissement vite rentabilisé et contrairement aux idées reçues, très facile à ranger et à nettoyer.

1 BLENDER
pour des jus de fruits et des milk-shakes « maison ». Un bon moyen de faire le plein de vitamines.

1 SHAKER
pour réaliser des cocktails dans les règles de l'art (voir pp. 79, 80, 81, 149).

ET BIEN SÛR

1 LOUCHE
1 ÉCUMOIRE
1 FOUET
1 PASSOIRE À GROS TROUS ET 1 FINE
1 ESSOREUSE À SALADE
1 CUILLER EN BOIS
1 GANT À FOUR
1 PAIRE DE CISEAUX
1 TIRE-BOUCHON
DE L'ALUMINIUM
DES SALADIERS
1 BOL
1 RÂPE

INDISPENSABLES DE LA CUISINE

DANS LE FRIGO ?

- Moutarde forte et à l'ancienne
- Mayonnaise et ketchup
- Tapenade d'olives noires ou vertes
- Câpres et cornichons
- Salade en sachet
- Citron
- Tomates
- Vinaigrette maison préparée à l'avance (voir p. 122)
- Pâtes à tarte pur beurre toute prête (brisée, feuilletée et sablée)
- Pâte à pizza
- Feuilles de brick
- Lardons et dés de volaille en barquette
- Œufs
- Beurre
- Crème fraîche épaisse
- Bloc de parmesan
- Gruyère râpé
- Feta, mozza et chèvre frais
- Jambon blanc et cru
- Confitures (fruits rouges, abricot et orange)

DANS LE PLACARD ?

- Huile de tournesol et huile d'olive
- Vinaigre de vin et vinaigre balsamique
- Sauce soja et Tabasco
- Olives vertes et noires dénoyautées
- Cubes de bouillon (volaille et herbes)
- Épices : cannelle, cumin, curry, gingembre, herbes de Provence, noix muscade, paprika, thym

- Fleur de sel et poivre du moulin
- Thon, anchois et sardines à l'huile d'olive
- Lait longue conservation, crème liquide longue conservation
- Lait de coco
- Nouilles et vermicelles, semoule, pâtes (longues et courtes), riz (basmati et arborio pour le risotto)
- Tomates en boîte, concentrées, séchées en bocal
- Sauce pesto
- Croûtons
- Levure chimique, gousse de vanille
- Chocolat à cuire, en poudre et en pépites
- Sucre en poudre, glace, vanillé et roux
- Farine, Maïzena
- Miel liquide et crème de marron
  - Fruits en conserve
  - Fruits secs
  - Amandes effilées, poudre de noisettes, poudre d'amandes et pralin
    - Pain à hamburger et pain de mie
    - Gâteaux secs (gavottes, tuiles aux amandes et palets bretons)
  - Rhum
  - 1 bouteille de vin rouge et 1 de vin blanc
  - Ail, oignons et échalotes
  - Pommes de terre

DANS LE CONGÉLO ?

- Blancs de poulet
- Crevettes décortiquées
- Épinards (nature, en branches ou hachés)
- Champignons de Paris émincés surgelés
- Ail, oignons et échalotes émincés surgelés
- Fines herbes ciselées (ciboulette, persil, estragon, aneth et basilic)
- Pommes noisettes et pommes dauphine
- Mélange de fruits rouges
- Glaces et sorbets : vanille, chocolat, framboise et rhum-raisin
- Coulis de fruits rouges

POUR ÉPATER LA GALERIE

- Huiles parfumées : noix, noisette et sésame
- Moutardes parfumées : estragon, poivre vert et basilic
- Alcool insolite : manzana, limoncini, vodka parfumée
- Digestifs : prune, limoncello et poire…
- Douceurs insolites : fruits confits, loukoums, fortune cookies avec un message à l'intérieur
- Épices d'ailleurs : badiane, gingembre, ras-el-hanout…

- Glaces et sorbets qui changent : au pain d'épice, aux spéculoos, au lait, aux figues et au cacao

À TOUJOURS AVOIR SOUS LA MAIN

Quelques très bons produits qui se conservent longtemps : œufs de saumon, petit bloc de foie gras, tarama, saumon fumé…

ÉQUIVALENCES

Ou comment s'en sortir sans verre doseur ni balance ?

<··· 1 VERRE À MOUTARDE CONTIENT ENVIRON :
100 g de farine
150 g de sucre en poudre
20 cl de liquide (lait, eau, alcool)

Bon à savoir :
1 verre de riz = 3 pers.
1 verre de coquillettes = 2 pers.
1 verre de semoule = 2 pers.

1 CUIL. À SOUPE ···》 CONTIENT ENVIRON :
10 g de farine
15 g de sucre en poudre
20 g de beurre
2 cl de liquide

<··· 1 CUIL. À CAFÉ CONTIENT ENVIRON :
4 g de farine
5 g de sucre en poudre
7 g de beurre
0,7 cl de liquide

THERMOSTATS ···》 ET TEMPÉRATURES DU FOUR
Th. 3 = 90 °C
Th. 4 = 120 °C
Th. 5 = 150 °C
Th. 6 = 180 °C
Th. 7 = 210 °C
Th. 8 = 240 °C

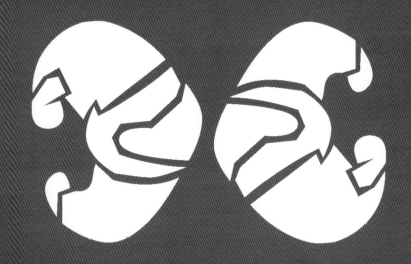

Rien de tel qu'un petit déjeuner les yeux dans les yeux pour bien commencer la journée. Pas question ici de mettre les petits plats dans les grands ; quand on sait que quelques astuces suffisent pour préparer un petit déjeuner gargantuesque, ce serait dommage de s'en priver... Tour d'horizon des tuyaux infaillibles pour faire simple et bon.

PETITS DÉJ EN AMOUREUX

LES DEUX ATTENTIONS QUI FONT CRAQUER UNE FILLE AU RÉVEIL

····❯ **Griffonnez-lui un petit mot** sur la coquille de son œuf coque ou sur sa serviette en papier.

····❯ **Offrez-lui un bouquet de fleurs**, de bonbons ou de chocolats ou tout simplement une rose... Un grand classique qui remporte toujours son petit succès.

LES DEUX ATTENTIONS QUI FONT CRAQUER UN GARÇON AU RÉVEIL

····❯ **Déposez sa revue préférée,** que vous serez allée lui acheter en douce, sur son plateau.

····❯ **Écrivez-lui un mot doux** sur un mug blanc à l'aide d'un stylo indélébile et servez-lui son café sous la couette.

CAKE AU MIEL ET AUX NOIX DE PÉCAN

PRÉPARATION
20 MINUTES

Pour 6 à 8 personnes | Coût : **€** | Difficulté : ⭐ | Cuisson : 45 min

LISTE DES INGRÉDIENTS

----> 150 g de noix de pécan
150 g de beurre
3 œufs
100 g de sucre roux
100 g de farine
1/2 sachet de levure chimique
50 g de miel liquide
1 noisette de beurre pour le moule

MATÉRIEL NÉCESSAIRE

----> 1 moule à cake

1 Préchauffez le four à 180 °C (th. 6) et beurrez votre moule à cake. Concassez les noix de pécan, jusqu'à obtenir des petits morceaux. Faites fondre le beurre au micro-ondes.

2 Cassez les œufs en séparant les blancs des jaunes. Déposez les jaunes dans un bol et les blancs dans un saladier. Montez les blancs en neige bien ferme, à l'aide d'un batteur électrique.

3 Dans un saladier, fouettez le beurre fondu avec le sucre jusqu'à ce que le mélange devienne mousseux. Ajoutez un à un les jaunes d'œufs, la farine, la levure, le miel et les morceaux noix de pécan. Ajoutez délicatement les blancs en neige et mélangez jusqu'à ce que la pâte devienne lisse et onctueuse. Versez la pâte dans le moule et mettez au four 45 min environ.

LE COUP DE POUCE

----> Vous pouvez remplacer les noix de pécan par 75 g de noisettes entières non salées et 75 g d'amandes mondées (sans la peau brune).

LE PETIT + DE CYRIL

Pour concasser les noix de pécan, utilisez un mortier. Si vous n'en avez pas, enveloppez les noix de pécan dans un torchon et cassez-les à l'aide d'un petit marteau ou d'un rouleau à pâtisserie.

GÂTEAU AU YAOURT ET AU CITRON

Pour **2 personnes** | Coût : **€** | Difficulté : ★ | Cuisson : **35 min**

LISTE DES INGRÉDIENTS

····▷ 1 citron non traité
1 pot de yaourt nature
2 pots de sucre en poudre
3 pots de farine
3 œufs
1 pot d'huile
1 sachet de levure chimique
1 noisette de beurre pour le moule

1 Préchauffez le four à 180 °C (th. 6). Beurrez un moule. Dans un saladier, déposez le yaourt puis rincez le pot et utilisez-le comme verre doseur pour la suite des ingrédients.

2 Prélevez le zeste du citron : pour cela, utilisez un zesteur ou, à défaut, la pointe d'un couteau et récupérez la fine écorce jaune du citron. Puis, pressez-le afin d'obtenir l'équivalent d'un demi-pot de yaourt de jus de citron.

3 Ajoutez successivement, dans le saladier, le sucre, la farine, les œufs, l'huile, le jus de citron, la levure et les zestes de citron. Mélangez bien entre chaque ingrédient jusqu'à obtention d'une pâte lisse et onctueuse.

4 Versez la pâte dans le moule et mettez au four 35 min environ. À la sortie du four, attendez quelques minutes avant de démouler votre gâteau puis servez-le froid avec un yaourt ou de la confiture.

LES COUPS DE POUCE

····▷ Si vous ne trouvez pas de citron non traité, passez votre citron quelques instants sous l'eau chaude en le brossant pour éliminer la couche de paraffine.
····▷ Pour une présentation au top, utilisez des moules individuels. Dans ce cas-là, réduisez la cuisson de 15 à 25 min en fonction du diamètre de vos moules.

LE PETIT + DE CYRIL

Quand vous n'avez pas de citron sous la main, remplacez-le par 1 orange ou ajoutez dans la pâte 1 petite cuil. à café de vanille liquide.

LE VRAI CHOCOLAT CHAUD

PRÉPARATION
5 MINUTES

Pour **2 personnes** │ Coût : **€** │ Difficulté : ★ │ Cuisson : **10 min**

LISTE DES INGRÉDIENTS

> 75 g de chocolat noir
> 20 cl de lait entier
> 15 cl de crème fleurette
> 2 cuil. à café de sucre
> 1/2 gousse de vanille

1 Fendez la demi-gousse de vanille en deux dans le sens de la longueur à l'aide de la pointe d'un couteau.

2 Dans une grande casserole, faites chauffer à feu très doux le chocolat en morceaux avec le lait, la crème fleurette, le sucre et la gousse de vanille pendant 8 min environ. Remuez régulièrement à l'aide d'un fouet jusqu'à ce que le chocolat soit bien fondu. Servez illico presto.

LE COUP DE POUCE

> Pour un goût plus corsé, vous pouvez remplacer la gousse de vanille par 1 pincée de café soluble.

LE PETIT + DE CYRIL

Cette recette est prévue pour 2 tasses… N'hésitez pas à doubler les quantités pour les plus gourmands.

LES FAMEUSES CRÊPES

Pour **12 crêpes environ** | Coût : **E** | Difficulté : ★ | Cuisson : **2 min par crêpe**

LISTE DES INGRÉDIENTS

----→ 3 œufs
- 250 g de farine
- 1 pincée de sel
- 50 cl de lait
- 3 cuil. à soupe de sucre en poudre
- 2 cuil. à soupe d'huile
- 1 noisette de beurre pour la cuisson

1 Dans un bol, battez les œufs en omelette à l'aide d'une fourchette. Dans un saladier, versez la farine et le sel. Mélangez bien puis creusez un puits au centre et ajoutez la moitié du lait. Mélangez à nouveau.

2 Ajoutez les œufs en omelette, le sucre, l'huile et le reste du lait. Mélangez à l'aide d'un fouet jusqu'à obtention d'une pâte fluide.

3 Déposez la noisette de beurre sur une feuille de papier absorbant et beurrez une poêle antiadhésive. Puis, versez-y une louche de pâte à crêpes. Répartissez bien la pâte en inclinant la poêle pour napper toute la surface. Dès que les bords se décollent, retournez la crêpe avec une spatule (ou faites-la sauter) pour cuire l'autre face. Réservez les crêpes au fur et à mesure dans le four préchauffé à 50 °C environ pour les maintenir bien au chaud. N'oubliez pas de beurrer la poêle entre chaque crêpe.

POUR ALLER PLUS VITE

----→ Préparez votre pâte à crêpes la veille, vous n'aurez plus qu'à les cuire au réveil.

LES COUPS DE POUCE

----→ Pour parfumer votre pâte à crêpes, ajoutez 1 cuil. à soupe d'eau de fleur d'oranger, de vanille liquide ou de rhum.

----→ La clé de la réussite ? Mélangez bien votre pâte entre chaque crêpe avant de verser une louche dans la poêle beurrée.

LE PETIT + DE CYRIL

Pensez à accompagner vos crêpes d'une sauce au chocolat, de crème de marron, de confitures (fraise, abricot ou orange), de Nutella, d'un filet de miel liquide ou tout simplement de beurre et de sucre.

MUFFINS AUX PÉPITES DE CHOCOLAT

PRÉPARATION 10 MINUTES

Pour **16 muffins environ** | Coût : | Difficulté : ⭐ | Cuisson : **20 min**

LISTE DES INGRÉDIENTS

⟶ 125 g de farine
1/2 sachet de levure chimique
100 g de poudre d'amandes
75 g de sucre roux
1 pincée de sel
1 œuf
20 cl de lait
10 cl d'huile d'arachide
100 g de pépites de chocolat
1 noisette de beurre pour les moules

MATÉRIEL NÉCESSAIRE

⟶ moules à muffins

1 Préchauffez le four à 210 °C (th. 7) et beurrez vos moules à muffins.

2 Dans un saladier, mélangez la farine avec la levure, la poudre d'amandes, le sucre roux et le sel. Puis ajoutez successivement l'œuf, le lait et l'huile. Mélangez jusqu'à obtention d'une pâte lisse et onctueuse. Ajoutez les pépites et mélangez à nouveau.

3 Versez la pâte dans les moules en prenant soin de les remplir aux trois quarts seulement pour éviter qu'ils ne débordent en gonflant lors de la cuisson. Enfournez 20 min environ. Délicieux chauds, tièdes ou froids.

LE COUP DE POUCE

⟶ Pour un démoulage au top, pensez aux moules souples en silicone. Dans ce cas, posez vos moules sur la plaque du four avant de verser la pâte à muffins. S'ils ne sont pas tous utilisés, versez de l'eau dans les moules vacants pour éviter de les abîmer.

LE PETIT + DE CYRIL

Pour varier les plaisirs, troquez les pépites de chocolat contre des myrtilles ou des framboises fraîches.

PAIN PERDU

Pour **2 personnes** | Coût : **E** | Difficulté : ★ | Cuisson : **5 min**

LISTE DES INGRÉDIENTS

- 4 tranches de pain brioché un peu rassis
- 2 œufs
- 40 g de sucre en poudre
- 20 cl de lait
- 1/2 sachet de sucre vanillé
- 2 noisettes de beurre

1 Dans une assiette creuse, battez les œufs en omelette avec le sucre. Dans un saladier, versez le lait et mélangez-le bien avec le sucre vanillé.

2 Dans une poêle, faites fondre 1 noisette de beurre à feu moyen. Plongez les tranches de pain brioché rapidement dans le lait vanillé puis dans les œufs battus. Déposez chaque tranche dans la poêle et faites-les dorer quelques instants de chaque côté. Posez vos tranches de pain perdu sur un plat et servez illico presto.

LE PETIT + DE CYRIL

Pour une petite note gustative, rajoutez quelques copeaux de chocolat sur chaque tranche de pain perdu juste avant de servir. Pour cela, il suffit de former des copeaux à l'aide d'un économe ou d'un couteau.

LES PETITS PLUS

LES INCONTOURNABLES DU PETIT DÉJ

PAINS ET VIENNOISERIES

Variez les plaisirs avec des pains aux céréales, aux figues et aux noix. Pour les viennoiseries, misez sur les minis… Idéal pour picorer et tout goûter. Effet garanti si vous grillez le pain au toasteur et passez les viennoiseries quelques minutes dans un four préchauffé à 210 °C (th. 7). Si vous manquez de temps, pensez à la pâte à croissant toute prête : il suffit de former des croissants et de les passer au four comme indiqué sur l'emballage.

BOISSONS CHAUDES

Thé, café ou chocolat chaud (voir p. 24). En plein été, pensez au thé et au chocolat glacés (à préparer la veille et à placer au réfrigérateur une nuit). Pour le thé, misez sur les valeurs sûres : breakfast (le plus adapté), earl grey ou jasmin, pour des saveurs fleuries, ou un thé rare (lapsang souchong ou à la fleur de lotus) pour lui en mettre plein la vue…

CONFITURES ET PÂTES À TARTINER

Mixez les parfums de vos confitures : quelques grands classiques (fraise, orange, abricot) combinés avec des saveurs plus inédites (figue-cannelle, coing ou confiture de lait).

> **IDÉE PLUS**
> **Essayez de mettre la main sur un pot de dulce de leche,** on en trouve dans les épiceries fines. C'est irrésistible !

JUS DE FRUITS

Pressez vos fruits au dernier moment pour un maximum de saveur et de vitamines. Pensez à mixer les agrumes : pamplemousse, mandarine, citron et orange sanguine… Si vos fruits sont trop acides, rajoutez un filet de miel, de grenadine ou un peu de sucre. Pour que vos jus soient bien frais, placez vos fruits dans le bac à légumes de votre réfrigérateur.

SANS OUBLIER…

Du sucre en morceaux et de l'édulcorant pour ceux qui surveillent leur ligne.

LA CUISSON DES ŒUFS

ŒUFS COQUE

Dans une casserole d'eau frémissante, plongez vos œufs délicatement à l'aide d'une cuiller à soupe. Laissez-les cuire 4 min et 30 sec (le blanc est alors bien saisi mais le jaune reste coulant) ; si vous préférez des œufs coque un peu baveux, tablez sur 4 min. Une fois cuits, passez-les sous l'eau froide pour stopper la cuisson. Dégustez illico presto avec des petites mouillettes au beurre salé.

IDÉES PLUS POUR LES MOUILLETTES

Pensez aux lamelles de fromages : gruyère, comté, beaufort ou emmental à tremper directement dans l'œuf.
Variez les pains : campagne, céréales, baguette à l'ancienne ou pain brioché.

ŒUFS BROUILLÉS

Dans un bol, cassez les œufs et battez-les à l'aide d'un fouet. Faites chauffer 1 noisette de beurre dans une casserole et versez-y les œufs battus. Salez et poivrez. Faites cuire à feu doux en les battant énergiquement avec un fouet ou une fourchette. Ajoutez 1 belle cuil. à soupe de crème fraîche.

IDÉE PLUS

Si vos œufs brouillés sont trop cuits : ajoutez 1 jaune d'œuf cru ou 1 petite noisette de beurre.

LES BOISSONS POUR DÉMARRER DU BON PIED

JUS DE FRUITS APHRODISIAQUE

Pressez 3 oranges et 1 pamplemousse. Ajoutez au jus obtenu 20 cl de jus de fruit de la passion tout prêt et 4 pincées de gingembre en poudre. Mélangez bien et dégustez illico presto.

CAPPUCCINOS-MINUTE

Dans une casserole, portez à ébullition à feu doux **25 cl de lait** avec **20 cl de crème liquide**, **1 cuil. à soupe de café soluble** et **1 sachet de sucre vanillé**. Dans un saladier, battez, à l'aide d'un fouet, **4 jaunes d'œufs** avec **40 g de sucre en poudre** jusqu'à ce que le mélange blanchisse. Ajoutez le lait chaud et **1 cuil. à soupe de rhum** (facultatif mais fortement recommandé !) dans le saladier. Mélangez bien. Reversez le contenu du saladier dans la casserole et faites épaissir la préparation à feu doux en remuant sans cesse. Hors du feu, ajoutez **150 g de chocolat** en petits morceaux. Mélangez bien jusqu'à ce que le chocolat soit bien fondu. Laissez refroidir avant de répartir la préparation dans 2 mugs (ou tasses). Et versez

le reste dans une petite carafe. Juste avant de servir, vous pouvez déposer 1 noisette de chantilly sur le dessus.

IDÉE PLUS

Saupoudrez vos cappuccinos de pistaches concassées ou de 1 cuil. à café de pralin.

Les brunchs, kesako ? Mix entre un petit déjeuner tardif et un déjeuner anticipé, le brunch, né de la contraction de « breakfast » et « lunch », est un moment idéal pour se poser entre copains.

À quelle heure ? Entre 11 h et 15 h.

Comment ? Pas de menu imposé, le concept est de composer soi-même son assiette en fonction de ses envies. Pensez à la formule buffet, ça vous facilitera la vie. Comme l'heure est à la décontraction, tous les plats – salés comme sucrés – seront servis en même temps, chacun n'aura plus qu'à piocher.

BRUNCHS

LA CLÉ DU SUCCÈS

····⟩ **Traditionnellement, un brunch se compose** de viennoiseries, pains, confitures, mais aussi bacon, mini-saucisses et œufs.

····⟩ **À cette base peut s'ajouter** tout ce qui vous tente : charcuterie, fromages, cakes salés et sucrés (voir p. 20), crudités et leurs dips, quiches (voir pp. 40, 42, 44, 68, 186), salades de pâtes, de riz ou taboulé (voir p. 46), fruits en salade ou en compote, pain perdu (voir p. 30).

····⟩ **Quant aux boissons**, ce sont celles d'un petit déj classique : thé, chocolat (voir p. 24) ou café ainsi que des jus de fruits (pressés si possible pour un max de saveur et de vitamines).

CHICKEN CAESAR SALAD

PRÉPARATION 25 MINUTES

Pour **4 personnes** | Coût : **€ €** | Difficulté : **★ ★** | Cuisson : **15 min**

LISTE DES INGRÉDIENTS

┈┈⟩ **Pour la salade :**
3 filets de poulet
1 noisette de beurre pour faire dorer le poulet
3 œufs
4 tranches de pain de mie
4 cuil. à soupe d'huile d'olive
40 g de parmesan râpé
70 g de parmesan
1 belle salade romaine

┈┈⟩ **Pour la sauce :**
5 filets d'anchois à l'huile
1 gousse d'ail
1 jaune d'œuf
2 cuil. à soupe de jus de citron
1/2 cuil. à café de moutarde forte
20 cl d'huile d'olive
poivre

1 Coupez les blancs de poulet en lamelles. Dans une poêle, faites chauffer la noisette de beurre à feu moyen . Ajoutez les lamelles de poulet et faites-les cuire jusqu'à ce qu'elles soient bien dorées (10 à 12 min environ). Une fois cuites, déposez-les dans une assiette.

2 Pendant ce temps, dans une casserole d'eau bouillante, faites durcir vos œufs 10 min environ. Égouttez-les, ôtez la coquille sous l'eau froide et coupez-les en quartiers. Formez des copeaux de parmesan à l'aide d'un économe. Épluchez, rincez et essorez la romaine.

3 Ôtez la croûte du pain de mie et coupez les tranches en dés. Dans une poêle, faites chauffer l'huile d'olive. Faites revenir les dés de pain de mie jusqu'à ce qu'ils soient bien dorés (2 à 3 min environ). Puis, roulez ces croûtons dans le parmesan râpé.

4 Préparez la sauce. Rincez les filets d'anchois. Épluchez la gousse d'ail et coupez-la en deux. Ôtez le germe s'il y en a un. Passez au mixeur le jaune d'œuf, l'ail, le jus de citron, la moutarde et les anchois. Puis, ajoutez l'huile d'olive petit à petit en continuant de mixer. Poivrez.

5 Dans un saladier, déposez les feuilles de romaine. Ajoutez la sauce aux anchois et mélangez bien. Répartissez sur le dessus les croûtons, les œufs durs, les copeaux de parmesan et les lamelles de poulet grillé.

POUR ALLER PLUS VITE
┈┈⟩ Pensez aux croûtons pour remplacer le pain et aux copeaux de parmesan tout prêts.

LE COUP DE POUCE
┈┈⟩ Ne salez pas trop cette recette, les anchois s'en chargent.

LE PETIT + DE CYRIL

Plutôt que des quartiers d'œufs durs, vous pouvez écraser vos œufs à l'aide d'une fourchette et les parsemer sur le dessus de votre salade avant de servir.

COLESLAW DE POULET AUX NOIX DE CAJOU

Pour **6 à 8 personnes** │ Coût : **€** │ Difficulté : ⭐⭐ │ Cuisson : **15 min**

LISTE DES INGRÉDIENTS

┈┈⟩ **Pour la salade :**
- 6 blancs de poulet
- 1 kg environ de chou blanc
- 4 carottes
- 200 g de noix de cajou
- 2 cœurs de laitue
- 1 belle noisette de beurre pour la poêle

┈┈⟩ **Pour la sauce :**
- 200 g de mayonnaise
- 200 g de fromage blanc
- 1 botte de ciboulette
- 1/2 botte de persil plat
- 6 cuil. à café de vinaigre de cidre
- 4 pincées de sucre en poudre
- sel et poivre

1 Dans une poêle, faites chauffer à feu moyen la noisette de beurre. Ajoutez les blancs de poulet et faites-les cuire 15 min environ jusqu'à ce qu'ils soient bien dorés, en les retournant régulièrement.

2 Pendant ce temps, éliminez les premières feuilles du chou et le trognon. Épluchez les carottes. Puis, râpez le chou et les carottes au robot (ou à l'aide d'une râpe). Détachez les feuilles des cœurs de laitue, lavez-les et essorez-les. Une fois le poulet cuit, coupez-le en lamelles.

3 Dans un saladier, mélangez la mayonnaise avec le fromage blanc. Lavez et coupez finement la ciboulette et le persil. Ajoutez la ciboulette, le vinaigre et le sucre. Salez et poivrez. Ajoutez le chou, les carottes, les noix de cajou, le poulet et les feuilles de laitue dans le saladier. Mélangez bien. Parsemez le tout de persil avant de servir.

POUR ALLER PLUS VITE

┈┈⟩ Utilisez du chou blanc et des carottes déjà râpés en sachets, disponibles au rayon salades des supermarchés.
┈┈⟩ Vous pouvez aussi remplacer les blancs de poulet par des dés de volaille vendus en barquette.

LE PETIT + DE CYRIL

Pour varier les plaisirs, troquez les cœurs de laitue contre 4 poignées de soja et remplacez les noix de cajou par la même quantité de cacahuètes grillées.

QUICHE POULET, BEAUFORT ET ESTRAGON

Pour **4 à 6 personnes** │ Coût : **E** │ Difficulté : ⭐ │ Cuisson : **40 min**

LISTE DES INGRÉDIENTS

┅┅┅▷ 1 pâte brisée pur beurre toute prête
225 g de dés de volaille en barquette
100 g de beaufort
4 branches d'estragon
4 œufs

40 cl de crème liquide
100 g de comté râpé
1 pincée de noix muscade (facultatif)
sel et poivre
1 noisette de beurre pour le moule

1 Préchauffez le four à 210 °C (th. 7). Étalez la pâte dans un moule à tarte beurré. Piquez le fond à l'aide d'une fourchette et mettez au four 10 min environ pour précuire la pâte. Coupez le beaufort en fines lamelles.

2 Lavez et ciselez l'estragon : pour cela, il suffit de le déposer dans un verre et de le couper finement à l'aide de ciseaux. Puis, dans un saladier, battez les œufs en omelette avec la crème liquide. Ajoutez l'estragon, le comté râpé et la noix muscade. Salez et poivrez.

3 Sur le fond de tarte précuit, déposez les lamelles de beaufort en rosace. Ajoutez les dés de volaille et nappez le tout de la préparation aux œufs. Mettez au four 40 min jusqu'à ce que la quiche soit bien dorée.

LE COUP DE POUCE

┅┅┅▷ Si votre tarte a tendance à dorer trop vite, recouvrez-la d'une feuille d'aluminium en cours de cuisson et baissez la température du four à 180 °C (th. 6).

LE PETIT + DE CYRIL

Pour un côté plus relevé, n'hésitez pas à tartiner votre fond de tarte précuit de 1 cuil. à soupe de moutarde à l'estragon.

QUICHE ROQUEFORT ET TOMATES CERISES

Pour **4 à 6 personnes** │ Coût : **€** │ Difficulté : ⭐ │ Cuisson : **35 min**

LISTE DES INGRÉDIENTS

- 1 pâte brisée pur beurre toute prête
- 150 g de roquefort
- 12 tomates cerises
- 1 poignée de noix
- 2 œufs
- 20 cl de crème fraîche épaisse
- sel et poivre
- 1 noisette de beurre pour le moule

1 Préchauffez le four à 180 °C (th. 6). Étalez la pâte dans un moule à tarte beurré. Piquez le fond à l'aide d'une fourchette et mettez au four 10 min pour précuire la pâte. Émiettez le roquefort et rincez les tomates cerises. Répartissez le roquefort, les noix et les tomates cerises sur le fond de tarte précuit.

2 Dans un saladier, battez les œufs entiers avec la crème fraîche à l'aide d'un fouet. Salez et poivrez. Versez ce mélange sur le fond de tarte précuit. Mettez au four 35 min environ jusqu'à ce que la tarte soit bien dorée. Servez illico presto.

LE COUP DE POUCE

Pensez à servir cette quiche découpée en cubes que vous piquerez de cure-dents. Idéal pour picorer tout au long du brunch.

LE PETIT + DE CYRIL

Troquez les tomates cerises contre des cubes de poires poêlés quelques instants. Avant de les ajouter dans la quiche, saupoudrez-les de paprika.

QUICHE THON, CHÈVRE FRAIS ET CIBOULETTE

Pour **6 personnes** | Coût : **E** | Difficulté : ★ | Cuisson : **35 min**

LISTE DES INGRÉDIENTS

- ⤍ 1 pâte brisée pur beurre toute prête
- 150 g d'olives vertes dénoyautées
- 250 g de thon à l'huile d'olive
- 100 g de chèvre frais
- 4 œufs
- 200 g de fromage blanc
- 10 cl de crème liquide
- 150 g de parmesan râpé
- 1 poignée de pistaches (facultatif)
- 3 cuil. à soupe de ciboulette ciselée surgelée
- sel et poivre
- 1 noisette de beurre pour le moule

1 Préchauffez le four 200 °C (th. 6-7). Étalez la pâte dans un moule à tarte beurré. Piquez le fond à l'aide d'une fourchette et enfournez 10 min environ pour précuire la pâte. Coupez les olives en morceaux. Égouttez le thon puis, dans un bol, écrasez-le avec le chèvre frais à l'aide d'une fourchette.

2 Dans un saladier, battez les œufs en omelette. Ajoutez le thon au chèvre, le fromage blanc, la crème liquide, les deux tiers du parmesan, les olives, les pistaches et la ciboulette en mélangeant bien entre chaque ingrédient. Salez et poivrez. Mélangez à nouveau. Versez la préparation au thon sur le fond de tarte précuit. Saupoudrez le dessus avec le reste de parmesan. Mettez au four 35 min environ.

POUR ALLER PLUS VITE
⤍ Laissez les olives entières.

LE COUP DE POUCE
⤍ Vous pouvez utiliser du thon au naturel.

LE PETIT + DE CYRIL

Si votre quiche a tendance à dorer trop rapidement, couvrez-la d'une feuille d'aluminium en cours de cuisson et baissez la température du four à 180 °C (th. 6).

TABOULÉ SANS CUISSON

Pour **6 personnes** | Coût : **€** | Difficulté : ⭐ | Repos : **8 h minimum au frais**

LISTE DES INGRÉDIENTS

⤳ 2 tomates fraîches
1/2 concombre
1 oignon
500 g de semoule moyenne
1 grosse boîte de tomates pelées
(environ 500 g égouttées)
1/2 botte de menthe

1/2 botte de ciboulette
3 branches de persil plat
8 cuil. à soupe d'huile d'olive
le jus de 2 citrons
fleur de sel et poivre du moulin
1 filet d'huile d'olive pour servir

1 Lavez et coupez les tomates fraîches en petits dés. Épluchez le concombre à l'aide d'un économe et coupez-le en petits dés. Épluchez et coupez l'oignon en petits morceaux. Dans un saladier, versez la semoule. Égouttez les tomates pelées en conservant le jus et coupez-les en petits dés. Lavez et coupez finement la menthe, la ciboulette et le persil.

2 Ajoutez, dans le saladier, le jus des tomates pelées, l'huile d'olive, le jus des citrons. Salez et poivrez. Mélangez bien pour que la semoule s'imprègne de la sauce. Puis ajoutez les tomates pelées, les tomates fraîches, le concombre et les fines herbes (menthe, ciboulette et persil). Mélangez à nouveau. Laissez reposer 8 h au frais. Avant de servir, rajoutez un beau filet d'huile d'olive. Mélangez bien.

POUR ALLER PLUS VITE

⤳ Utilisez des oignons émincés surgelés.

LE COUP DE POUCE

⤳ L'idéal est de préparer cette recette la veille.

LE PETIT + DE CYRIL

Pour une note plus orientale, doublez les doses de fines herbes et pour un côté sucré-salé, rajoutez 2 poignées de raisins secs dans votre taboulé.

TOMATES-MOZZA ET BASILIC

PRÉPARATION
15 MINUTES

Pour **8 personnes** | Coût : **€** | Difficulté : ★

LISTE DES INGRÉDIENTS

---→ 8 belles tomates
4 boules de mozzarella
1 botte de basilic
8 filets d'huile d'olive
fleur de sel et poivre du moulin

1 Lavez et séchez les tomates. Ôtez leur base puis coupez-les en rondelles. Égouttez les boules de mozzarella et coupez-les en tranches pas trop fines. Reconstituez chaque tomate en intercalant une tranche de mozza et une tranche de tomate.

2 Lavez le basilic et coupez finement la moitié des feuilles. Sur chaque tomate, déposez les feuilles de basilic entières puis arrosez d'un beau filet d'huile d'olive et ajoutez le basilic coupé. Salez et poivrez. Servez illico presto.

LE COUP DE POUCE

---→ Si vos tomates sont un peu fades, vous pouvez ajouter un filet de vinaigre balsamique.

LE PETIT + DE CYRIL

Pensez à accompagner ces tomates-mozza de gressins entourés d'une tranche de jambon de Parme. C'est un délice !

CRUMBLE POIRE-CHOCOLAT

Pour 6 personnes | Coût : **€** | Difficulté : ⭐⭐ | Cuisson : 35 min

LISTE DES INGRÉDIENTS

┈┈> 6 poires
100 g de pépites de chocolat noir
80 g de beurre
1 sachet de sucre vanillé
150 g de farine
80 g de sucre roux
1 pincée de sel

1 Préchauffez le four à 180 °C (th. 6) et faites fondre le beurre au micro-ondes. Épluchez et coupez les poires en petits morceaux et déposez-les dans le fond d'un moule. Saupoudrez-les de sucre vanillé puis ajoutez par-dessus les pépites de chocolat.

2 Dans un saladier, mélangez la farine, le sucre roux, le sel et le beurre fondu. Malaxez la préparation avec les mains puis émiettez-la pour lui donner une consistance sableuse. Ajoutez-la sur les fruits en une couche régulière. Mettez au four 35 min environ.

LES COUPS DE POUCE

┈┈> Pour une version encore plus chocolatée, vous pouvez déposer quelques carrés de chocolat dans le fond du moule avant d'ajouter les poires.

┈┈> Pour des buffets au top, réalisez ce crumble dans 6 ramequins. Idéal pour picorer tout au long du brunch !

 LE PETIT + DE CYRIL

Servez ce crumble tiède avec 1 boule de glace à la vanille ou 1 noisette de crème fraîche posées sur chaque part.

LE FAMEUX TIRAMISU

PRÉPARATION 15 MINUTES

Pour **6 personnes** | Coût : **€** | Difficulté : ⭐⭐ | Repos : **8 h au frais**

LISTE DES INGRÉDIENTS

- 3 jaunes d'œufs
- 100 g de sucre en poudre
- 200 g de mascarpone
- 30 cl de crème fraîche épaisse
- 50 cl de café refroidi
- 36 biscuits à la cuiller
- 3 cuil. à soupe de cacao en poudre

1 Dans un saladier, battez à l'aide d'un fouet les jaunes d'œufs avec le sucre jusqu'à ce que le mélange blanchisse. Ajoutez le mascarpone et la crème fraîche. Mélangez à nouveau. Préparez l'équivalent de 50 cl de café noir et versez le café refroidi dans une assiette creuse. Puis trempez-y les biscuits à la cuiller quelques secondes pour les imbiber légèrement de café.

2 Pour monter votre tiramisu, recouvrez le fond d'un plat rectangulaire (de taille moyenne) d'une couche de biscuits à la cuiller imbibés de café. Recouvrez le tout d'une couche de la préparation au mascarpone. Répétez l'opération en terminant par une couche de mascarpone et lissez-la avec le dos d'une cuiller.

3 Placez au réfrigérateur 8 h environ. Saupoudrez votre tiramisu de cacao en poudre juste avant de servir.

LES COUPS DE POUCE

- Pour une version tout chocolat, rajoutez 3 cuil. à soupe de Nutella (à température ambiante) dans la préparation au mascarpone. À consommer sans modération !
- Pour une version individuelle, pensez à monter votre tiramisu directement dans des verres transparents avant de les placer au réfrigérateur.

LE PETIT + DE CYRIL

La clé de la réussite ? Ne trempez pas trop vos biscuits à la cuiller dans le café, ils risqueraient de s'émietter.

MOUSSE AU CHOCOLAT INRATABLE

Pour **6 personnes** | Coût : **€** | Difficulté : ⭐ | Repos : **8 h au frais**

LISTE DES INGRÉDIENTS
----> 200 g de chocolat noir
6 œufs
1 pincée de sel
et c'est tout !

1 Dans une casserole, faites fondre, à feu très doux, le chocolat avec 2 cuil. à soupe d'eau. Hors du feu, laissez refroidir quelques instants. Séparez les blancs des jaunes et montez, à l'aide d'un batteur électrique, les blancs en neige bien ferme avec le sel. Ajoutez les jaunes d'œufs battus dans le chocolat fondu. Mélangez énergiquement. Puis ajoutez délicatement les blancs d'œufs en trois fois, sans les casser.

2 Versez la mousse au chocolat dans un saladier et placez-le au réfrigérateur 8 h environ.

POUR ALLER PLUS VITE
----> Faites fondre le chocolat au micro-ondes. Il suffit de placer le chocolat cassé en morceaux dans un récipient et de compter 1 à 2 min de cuisson selon la puissance du four. Lissez bien votre chocolat fondu à l'aide d'une spatule.

LE COUP DE POUCE
----> Pour varier les plaisirs, remplacez le chocolat noir par la même quantité de chocolat au lait et rajoutez 2 cuil. à café de cannelle en poudre.

LE PETIT + DE CYRIL
Pour une petite note déco, versez la mousse au chocolat dans 6 verres transparents avant de la placer au réfrigérateur.

LES BRUNCHS QUI CHANGENT

Quelques idées pour des brunchs qui changent.

BRUNCH À L'ORIENTALE

Pour une ambiance 100 % orientale, servez du hoummous (purée de pois chiches), du moutabbal (caviar d'aubergines), du pain de semoule, des bricks à l'œuf ou au fromage, du taboulé comme là-bas (celui à base de persil plat, menthe, citron et blé concassé) ou encore des boulettes et brochettes de viande. Et, pour la touche sucrée, pensez aux cornes de gazelle ou aux délicieuses pâtisseries orientales au miel et aux pistaches... Sachez que toutes ces spécialités se trouvent soit en supermarchés, soit chez les traiteurs libanais. Côté boisson, l'incontournable thé à la menthe s'impose.

> **RECETTE PLUS :**
> **LE COUSCOUS SUCRÉ**
> Dans **500 g de semoule cuite,** ajoutez **le jus de 2 oranges, le zeste de 1/2 orange** coupé en petits morceaux, **2 cuil. à soupe d'eau de fleur d'oranger, 1 poignée de raisins secs** et **de pignons.** Mélangez et mettez au réfrigérateur 2 h ; servez avec un filet de miel, de la cannelle et de la menthe.

BRUNCH DU GRAND NORD

Misez sur le trio gagnant : poissons fumés ou marinés (saumon, truite, filet de harengs, roll mops), œufs de poissons (saumon ou lumps), tarama, et bien sûr des blinis. Accompagnez le tout de cottage cheese, de crème fraîche, de citron et de l'incontournable salade de pommes de terre (avec ou sans oignons). Côté sucré, compote d'airelle, gelée de groseille, pain d'épice et sablés à l'anis sont essentiels.

> **IDÉE PLUS**
> **Pour une version encore plus festive,** prévoyez un petit shot de vodka par invité. Et pourquoi pas une vodka parfumée au cassis ou à la vanille ?

BRUNCH TRANSALPIN

Place à la dolce vita avec la charcuterie italienne (jambon de Parme, mortadelle, bresaola...), une quiche tomates-mozza (voir p. 68) ou une belle salade de pâtes. Pour présenter votre jambon cru, enroulez-le autour de gressins. Attention, faites-le au dernier moment sinon les gressins se ramollissent au contact du jambon. Préparez des mini-brochettes de tomates cerises et de boules de mozzarella (arrosées d'un filet d'huile d'olive et parsemées de basilic) ou encore des crostini (voir p. 79). Côté douceurs, le tiramisu (voir p. 52) remporte toujours un franc succès mais n'oubliez pas les amaretti, les pana cotta ou les biscotti (petits biscuits aux amandes). Et pour vous désaltérer, servez un cappuccino (voir p. 33), un moccachino ou un café glacé.

IDÉE PLUS

Essayez de mettre la main sur des Baci, de délicieux chocolats italiens délivrant un petit message d'amour, une citation ou un proverbe. On en trouve chez les traiteurs italiens ou dans les duty-free !

BRUNCH ANGLO-SAXON

Au menu : cookies, brownie au noix de pécan (voir p. 72), muffins (voir p. 28), scones, shortbread, carrot cake, crumbles (voir pp. 50, 116, 142) et pancakes nappés de sirop d'érable... autant de spécialités anglo-saxonnes qui rendront vos brunchs so british. Pour une version salée, prévoyez du coleslaw (voir p. 38), une chicken caesar salad (voir p. 36) et des œufs brouillés. Côté boisson, misez sur le thé (breakfast ou earl grey).

RECETTE PLUS : PANCAKES-MINUTE

Passez au mixeur **170 g de farine, 1/2 sachet de levure chimique, 2 cuil. à soupe de sucre, 2 œufs battus, 2 cuil. à soupe de beurre fondu** et **1 verre et demi de lait**. Utilisez de préférence une poêle à blinis même s'il est tout à fait possible de cuire les pancakes dans une poêle classique. Pour réussir la cuisson à tous les coups : guettez les bulles. Dès qu'elles apparaissent, il est temps de faire cuire l'autre face jusqu'à ce que vos pancakes soient bien dorés.

⋯> Sachez que le sirop d'érable est disponible au rayon pâtisserie ou exotique des supermarchés. Si vous n'en trouvez pas, remplacez-le par du caramel liquide.

Apéros et slunchs, kesako ? Pour les apéros, on maîtrise le concept... Petit cours de rattrapage en ce qui concerne les slunchs : mix de « supper » et de « lunch », cette nouvelle formule ultra-tendance désigne les goûters dînatoires du dimanche où l'on invite toute sa tribu à l'improviste pour finir le week-end en beauté.

À quelle heure ? À chacun son rythme, cela dit les festivités s'enclenchent généralement à partir de 18 h... La fin, en revanche, dépendra de vous.

APÉROS ET SLUNCHS

LES PETITES ASTUCES POUR NE PAS STRESSER

···⟩ **Attention** à tout ce qui dégouline ou ce qui fait des miettes : bannissez par exemple les sauces trop liquides.

···⟩ **Dispersez des cendriers** partout dans les pièces pour vos copains fumeurs. Et n'oubliez pas de les vider régulièrement au cours de la soirée.

···⟩ **Prévoyez des sous-verre** pour préserver vos meubles. Si vous n'en avez pas, il suffit de découper des feuilles de papier Canson en six.

···⟩ **Misez sur le « tout-jetable »** pour éviter la casse : serviettes en papier (choisissez des couleurs ou des motifs sympa), verres en plastique et flûtes à champagne (mais méfiez-vous des trop bas de gamme, elles ont tendance à se casser très facilement).

BEIGNETS DE COURGETTES

PRÉPARATION 20 MINUTES

Pour **8 à 10 personnes** | Coût : **€** | Difficulté : ⭐⭐

Cuisson : **1 à 2 min par fournée de 10 beignets** | Repos : **1 h**

LISTE DES INGRÉDIENTS

- 4 courgettes
- 250 g de farine
- 3 œufs
- 1 cuil. à soupe d'huile d'arachide
- 1 sachet de levure chimique
- 1 pincée de sel fin
- 40 cl d'huile d'olive
- 1 cuil. à soupe de gros sel

1 Épluchez les courgettes en laissant une bande de peau sur deux, ôtez les extrémités ; coupez-les en fines rondelles. Déposez-les dans une passoire avec le gros sel. Laissez dégorger 1 h.

2 Pendant ce temps, préparez la pâte à beignets : dans un saladier, ajoutez la farine, les œufs, l'huile d'arachide, la levure, le sel fin et 10 cl d'eau. Mélangez bien entre chaque ingrédient.

3 Dans une poêle, faites chauffer l'huile d'olive à feu vif. Quand elle est bien chaude, trempez une dizaine de rondelles de courgettes, l'une après l'autre, dans la pâte à beignets puis plongez-les directement dans la poêle. Retournez-les à l'aide d'une cuiller en bois. Les beignets sont prêts lorsqu'ils sont bien dorés des deux côtés (1 à 2 min de cuisson).

4 Sortez-les de la poêle à l'aide d'une écumoire et déposez-les dans un plat recouvert de papier absorbant. Recommencez l'opération jusqu'à épuisement des rondelles de courgettes. Servez illico presto.

LE PETIT + DE CYRIL

Trempez vos beignets de courgettes dans un coulis de tomates ou de poivrons, l'alliance fonctionne à merveille.

MINI-FRIANDS DE MERGUEZ

Pour 4 à 6 personnes | Coût : **€** | Difficulté : ★ | Cuisson : 20 min

LISTE DES INGRÉDIENTS

┈┈> 1 pâte feuilletée pur beurre toute prête
5 merguez
2 jaunes d'œufs
1 noisette de beurre pour la poêle

1 Préchauffez le four à 180 °C (th. 6). Piquez les saucisses crues avec une fourchette pour éviter qu'elles n'éclatent lors de la cuisson.

2 Dans une poêle, faites chauffer le beurre. Ajoutez les merguez et laissez-les cuire 8 min environ en les retournant sans cesse pour qu'elles soient bien dorées.

3 Coupez la pâte en 5 bandes. Une fois les saucisses cuites, enroulez chacune dans 1 bande de pâte feuilletée. Soudez les deux bords de la pâte avec un peu d'eau. Coupez-les en tronçons de 3 cm et posez-les sur la plaque du four recouverte de papier sulfurisé.

4 Dans un bol, battez les jaunes d'œufs avec une fourchette puis badigeonnez-en chaque bouchée, à l'aide d'un pinceau alimentaire (ou avec les doigts), avant de mettre au four ; laissez cuire 20 min environ.

LE COUP DE POUCE

┈┈> Pour un côté encore plus spicy, saupoudrez légèrement vos merguez cuites de paprika doux en poudre avant de les enrouler dans la pâte feuilleté.

LE PETIT + DE CYRIL

Si vous n'avez pas de papier sulfurisé, vous pouvez utiliser de l'aluminium.

MINI-TARTARES DE BŒUF

PRÉPARATION 20 MINUTES

Pour **8 à 10 personnes** | Coût : **€ €** | Difficulté : ⭐

LISTE DES INGRÉDIENTS

┈┈┈┈⟩ 700 g de bœuf haché supérieur
1 oignon
1 échalote
6 cornichons
1/2 botte de persil
4 jaunes d'œufs
2 cuil. à soupe de moutarde
le jus de 1/2 citron

5 cuil. à soupe d'huile d'olive
7 gouttes de Tabasco
5 cuil. à soupe de câpres
fleur de sel et poivre du moulin

MATÉRIEL NÉCESSAIRE

┈┈┈┈⟩ 15 petits verres transparents
(type shots à vodka)

1 Épluchez l'oignon et l'échalote et coupez-les très finement. Coupez les cornichons en tout petits morceaux. Lavez et ciselez le persil.

2 Dans un saladier, mélangez successivement les jaunes d'œufs, la moutarde et le jus de citron. Puis, versez l'huile d'olive en fouettant à la fourchette. Versez le Tabasco. Salez et poivrez.

3 Ajoutez le steak haché dans cette préparation. Mélangez légèrement pour que la viande s'imprègne tout juste de sauce. Ajoutez les câpres, les cornichons, le persil, l'oignon et l'échalote. Mélangez à nouveau.

4 Répartissez la viande dans des shots à vodka pour obtenir de mini-verrines de steak tartare. Servez illico presto.

POUR ALLER PLUS VITE

┈┈┈┈⟩ Utilisez du persil ciselé surgelé.

LE COUP DE POUCE

┈┈┈┈⟩ Si vous n'avez pas de shots à vodka, vous pouvez aussi servir vos mini-tartares dans des petites assiettes, des tasses à café, des verres un peu plus grands ou sur des petits toasts de pain de campagne grillés.

LE PETIT + DE CYRIL

La clé de la réussite ? Ne mélangez pas trop longtemps la viande avec l'assaisonnement ou votre tartare risquerait de se transformer en bouillie.

PISSALADIÈRE

PRÉPARATION
20 MINUTES

Pour **4 à 6 personnes** | Coût : **€** | Difficulté : ⭐ | Cuisson : **30 min**

LISTE DES INGRÉDIENTS

- 1 pâte à pain de 300 g environ
- 8 oignons
- 2 cuil. à soupe de thym
- 8 filets d'anchois à l'huile
- 12 olives noires de Nice
- 2 pincées de paprika (facultatif)
- 4 cuil. à soupe d'huile d'olive pour la sauteuse
- poivre

1 Préchauffez le four à 210 °C (th. 7). Épluchez et coupez finement les oignons. Dans une sauteuse, faites chauffer l'huile d'olive. Ajoutez les oignons avec le thym et du poivre. Laissez-les dorer 15 à 20 min à feu doux en remuant régulièrement.

2 Pendant ce temps, aplatissez la pâte à pain sur la plaque du four recouverte de papier sulfurisé. Façonnez un rebord qui maintiendra la garniture. Une fois cuits, ajoutez les oignons sur le fond de tarte. Disposez les anchois en croisillons après les avoir égouttés. Mettez au four 30 min jusqu'à ce que votre pissaladière soit bien dorée. 10 min avant la fin de la cuisson, ajoutez les olives. Saupoudrez de paprika juste avant de servir.

POUR ALLER PLUS VITE

- Utilisez des oignons émincés surgelés.

LES COUPS DE POUCE

- Sachez que la pâte à pain se trouve facilement chez votre boulanger ; vous pouvez aussi la remplacer par de la pâte à pizza.
- Prédécoupez votre pissaladière en carrés avec un bon couteau ou une roulette à pizza avant de la faire cuire. Idéal pour les petites bouchées apéro !

LE PETIT + DE CYRIL

Pensez à tartiner le fond de cette tarte d'anchoïade avant d'ajouter les oignons : un délice ! Pour donner plus de piquant à cette recette, vous pouvez aussi ajouter quelques gouttes d'huile pimentée juste avant de servir.

QUICHE FONDANTE TOMATES-MOZZA

PRÉPARATION **20** MINUTES

Pour **6 personnes** | Coût : **E** | Difficulté : ⭐⭐ | Cuisson : **40 min**

LISTE DES INGRÉDIENTS

----> 1 pâte feuilletée pur beurre toute prête
5 tomates
1 boule de mozzarella
1/2 bouquet de basilic
5 brins de ciboulette
6 tomates séchées à l'huile d'olive
(facultatif)

2 œufs
20 cl de crème fraîche épaisse
1 noisette de beurre pour le moule
sel et poivre

1 Préchauffez le four à 200 °C (th. 6-7). Étalez la pâte dans un moule à tarte beurré. Piquez le fond à l'aide d'une fourchette et mettez au four 10 min pour précuire la pâte.

2 Pendant ce temps, pelez les tomates. Pour cela, il suffit de les plonger dans une casserole d'eau bouillante 30 sec environ. Lorsque leur peau commence à se décoller, ressortez-les une à une à l'aide d'une écumoire ou d'une louche. Pelez-les, ôtez les pépins à l'aide d'une cuiller et coupez-les en morceaux.

3 Égouttez et coupez la mozzarella en dés. Lavez et coupez finement le basilic et la ciboulette. Coupez les tomates séchées en petits morceaux à l'aide de ciseaux. Dans un bol, battez les œufs entiers avec la crème fraîche. Salez et poivrez.

4 Déposez sur le fond de tarte précuit, en couches successives, les tomates, les tomates séchées, la mozzarella puis le basilic. Nappez le tout avec la préparation aux œufs et enfournez 40 min. Servez illico presto.

POUR ALLER PLUS VITE

----> Vous pouvez opter pour des tomates pelées en conserve ou des tomates cerises que vous n'aurez pas besoin de peler.

LE PETIT + DE CYRIL

Sachez que vous pouvez trouver des tomates séchées à l'huile d'olive chez les traiteurs italiens.

SALADE DE BLÉ, AVOCATS, CREVETTES ET FENOUIL

Pour **4 personnes** | Coût : **€** | Difficulté : ⭐ | Cuisson : **20 min**

LISTE DES INGRÉDIENTS

---> **Pour la salade :**
200 g de blé (type Ebly)
200 g de petites crevettes roses décortiquées (en barquette)
2 avocats
1 fenouil
1/2 concombre

---> **Pour la sauce :**
300 g de yaourt blanc
le jus de 1 citron
10 feuilles de menthe
1/2 botte de ciboulette
1/2 bouquet de persil plat
sel et poivre

1 Dans une casserole d'eau bouillante salée, faites cuire le blé 15 à 20 min environ. Une fois cuit, égouttez-le et laissez-le refroidir à température ambiante.

2 Pendant ce temps, rincez les crevettes et égouttez-les bien. Épluchez et coupez les avocats, le fenouil et le concombre en petits dés. Lavez et coupez finement les fines herbes.

3 Préparez la sauce dans un saladier : mélangez, à l'aide d'un fouet, le yaourt, le jus de citron et les fines herbes jusqu'à obtention d'une sauce lisse et onctueuse. Salez et poivrez. Ajoutez tous les ingrédients dans le saladier et mélangez bien. Puis répartissez la salade dans des verres transparents avec des petites cuillers. Servez illico presto.

POUR ALLER PLUS VITE

---> Faites bouillir l'eau à la bouilloire avant de la verser dans une casserole pour cuire le blé.

---> Troquez le blé contre des pâtes (fusillis ou pennes) dont la cuisson n'excède pas les 8 à 9 min ; vous pouvez aussi choisir du blé précuit, prêt en un clin d'oeil.

LE COUP DE POUCE

---> Pensez à rajouter un filet d'huile d'olive ou un peu plus de jus de citron dans la sauce au yaourt si vous l'aimez plus fluide.

LE PETIT + DE CYRIL

Pensez à remplacer les crevettes par de la feta. Dans ce cas-là, ajoutez quelques tomates séchées à l'huile d'olive.

BROWNIE
AUX NOÏX DE PÉCAN

Pour **6 personnes** | Coût : **€** | Difficulté : ⭐ | Cuisson : **25 min**

LISTE DES INGRÉDIENTS

----> 200 g de chocolat noir à cuire
150 g de noix de pécan
125 g de beurre
150 g de sucre en poudre

3 œufs
70 g de farine
1 noisette de beurre pour le moule

1 Préchauffez le four à 150 °C (th. 5) et faites fondre le beurre au micro-ondes. Beurrez un moule. Dans un saladier, versez le beurre fondu et le sucre. Mélangez à l'aide d'un fouet jusqu'à obtention d'une pâte lisse et onctueuse. Puis ajoutez les œufs et la farine d'une traite. Remuez à nouveau.

2 Faites fondre le chocolat cassé en morceaux. Concassez les noix de pécan à l'aide d'un mortier afin d'obtenir de petits morceaux. Ajoutez le chocolat fondu et les noix de pécan dans le saladier sans cesser de remuer. Versez la préparation dans le moule et enfournez 25 min environ.

POUR ALLER PLUS VÏTE

----> Ce brownie est encore meilleur le lendemain. Alors n'hésitez pas à le préparer la veille. Recouvrez-le d'une feuille d'aluminium et, à la dernière minute, découpez-le en petits carrés pour des bouchées fortes en chocolat.

LES COUPS DE POUCE

----> Si vous n'avez pas de mortier, enveloppez les noix de pécan dans un torchon et cassez-les à l'aide d'un petit marteau ou d'un rouleau à pâtisserie.

----> Faites fondre le chocolat au micro-ondes. Il suffit de placer le chocolat cassé en morceaux dans un récipient et de compter 1 à 2 min de cuisson selon la puissance du four. Lissez bien votre chocolat fondu à l'aide d'une spatule. Ajoutez 1 cuil. à soupe d'huile d'arachide pour rendre votre chocolat brillant.

LE PETÏT + DE CYRÏL

Saupoudrez chaque cube de brownie d'un peu de sucre glace. Dans ce cas-là, filtrez-le à travers une passoire pour éviter les amas de sucre.

NEMS CHOCO-BANANE

PRÉPARATION **30** MINUTES

Pour **24 nems** | Coût : **€** | Difficulté : ⭐⭐ | Cuisson : **15 min**

LISTE DES INGRÉDIENTS

⟶ **Pour les nems :**
12 feuilles de brick
40 g de beurre
2 jaunes d'œufs
24 pincées de cannelle en poudre

⟶ **Pour la garniture :**
24 carrés de chocolat
10 bananes
le jus de 2 citrons
10 cuil. à soupe de miel liquide

1 Préparez la garniture. Épluchez les bananes et coupez-les en rondelles. Arrosez-les de jus de citron. Dans une poêle, versez le miel et faites-le caraméliser à feu doux quelques instants. Ajoutez les rondelles de bananes et faites-les dorer 3 min environ jusqu'à obtention d'une purée caramélisée. Réservez hors du feu.

2 Préchauffez le four à 210 °C (th. 7). Préparez les nems. Faites fondre le beurre au micro-ondes. Détachez délicatement les feuilles de brick et coupez-les en deux. Badigeonnez-les de beurre fondu, à l'aide d'un pinceau alimentaire. Répartissez la purée de bananes caramélisées au centre de chaque demi-feuille de brick et ajoutez 1 carré de chocolat sur les bananes. Rabattez les deux extrémités pointues puis roulez le nem sur lui-même.

3 Déposez les nems sur la plaque du four recouverte de papier sulfurisé. Dans un bol, battez les jaunes d'œufs puis badigeonnez-en chaque nem à l'aide d'un pinceau. Enfournez 12 à 15 min jusqu'à ce qu'ils deviennent bien croustillants et dorés. À la sortie du four, saupoudrez chaque nem de 1 pincée de cannelle.

LE COUP DE POUCE

⟶ Sachez que les feuilles de brick se trouvent au rayon frais des supermarchés et se conservent plus d'un mois au réfrigérateur.

LE PETIT + DE CYRIL

Pensez à accompagner vos nems d'un petit ramequin de sauce au chocolat. Pour cela, il suffit de faire fondre 250 g de chocolat noir avec 20 cl de crème liquide.

TRUFFES
DE NOTRE ENFANCE

PRÉPARATION 20 MINUTES

Pour **30 truffes environ** │ Coût : **E** │ Difficulté : ★ │ Repos : **1 nuit au frais**

LISTE DES INGRÉDIENTS

┈┈⟩ 250 g de chocolat noir à cuire
1 cuil. à soupe de lait
100 g de beurre
90 g de sucre glace
2 cuil. à soupe de crème fraîche
60 g de cacao en poudre

1 La veille, faites fondre à feu doux, dans une casserole, le chocolat cassé en morceaux avec le lait et mélangez jusqu'à obtention d'une pâte lisse. Coupez le beurre en petits morceaux et ajoutez-le au chocolat. Mélangez bien. Hors du feu, ajoutez le sucre glace et la crème fraîche. Mélangez à nouveau. Versez la préparation dans un plat, laissez-la refroidir quelques instants puis placez-la au réfrigérateur toute la nuit.

2 Le jour même, à l'aide d'une petite cuiller, creusez dans la pâte au chocolat des boules puis roulez-les entre vos paumes de mains pour former des truffes (entre 30 et 35 selon leur grosseur). Dans une assiette creuse, versez le cacao en poudre. Roulez vos truffes une à une dans le cacao avant de les déposer sur un plat. Servez illico presto ou replacez-les au réfrigérateur jusqu'au moment de servir.

POUR ALLER PLUS VITE

┈┈⟩ Faites fondre le chocolat au micro-ondes. Pour cela, il suffit de placer le chocolat cassé en morceaux dans un récipient avec le lait. Comptez 1 à 2 min sur la puissance maximale, puis, à la sortie du four, lissez bien votre chocolat fondu à l'aide d'une spatule. Ajoutez 1 cuil. à soupe d'huile d'arachide pour rendre votre chocolat brillant.

LE COUP DE POUCE

┈┈⟩ Sachez que les truffes se conservent 3 à 4 jours au réfrigérateur.

LE PETIT + DE CYRIL

Pour un effet visuel au top, vous pouvez rouler vos truffes dans des graines de sésame, du sucre glace, de la noix de coco râpée ou des noisettes concassées plutôt que dans du cacao en poudre.

LES PETITS PLUS

LES CLÉS DU SUCCÈS

LA MUSIQUE

Choisissez une musique de fond adaptée, surtout pas trop forte (sinon on ne s'entend plus) ni trop rythmée.
Idéalement : les compils lounge des lieux branchés, du jazz ou de la soul.

L'ÉCLAIRAGE

Pour transformer votre deux pièces en lounge sympa, optez pour un éclairage tamisé. Pour cela, disposez des bougies un peu partout.

LE BUFFET

La règle d'or ? La table du buffet doit être accessible et le sucré et le salé doivent se côtoyer pour que chacun picore à sa guise et que vous ne passiez pas la soirée en cuisine. Cela dit, n'hésitez pas à disperser des petits trucs à grignoter partout dans la pièce. Visuellement, c'est sympa et surtout pratique : pas besoin de traverser la pièce pour une chips... Évidemment, ne négligez pas la présentation : bols pour les

gâteaux apéro, saladier pour les chips, ramequins pour les dips, plats pour les petites bouchées ou encore verres pour tout ce qui est long : Mikado, gressins, cigarettes russes...

VOTRE LISTE DE COURSES POUR UN APÉRO OU UN SLUNCH

À GRIGNOTER...

Chips et gâteaux apéro • Tacos (chips mexicaines) à tremper dans la sauce salsa ou le guacamole • Blinis (notamment en version mini) et tarama • Crudités : carottes, concombres, choux-fleurs, tomates cerises, à couper à la dernière minute pour qu'ils conservent toute leur fraîcheur • Mayo et tzatziki (fromage blanc avec dés de concombre et aneth) pour accompagner les crudités • Mini-saucisses et moutarde forte • Comté ou gruyère, à couper en cubes • Les surgelés : pain-surprise, mini-macarons, petits fours salés et sucrés... • Fruits faciles à picorer : mini-bananes, mandarines, fraises, raisin... • Bonbons à gogo • Biscuits et mini-barres chocolatées.

À SIROTER...

Un cocktail maison pour le côté convivial et bon marché, comme la sangria (voir p. 80) • Un peu de champagne pour le côté festif • Des alcools forts pour les purs et durs • Des sodas et jus de fruits • Des glaçons.

SANS OUBLIER...

Des cure-dents, des sacs-poubelles, des serviettes en papier, des pailles, des bougies...

À SIROTER ET À PICORER

Le concept : on vous propose ici d'associer un cocktail
avec la bouchée apéro qui va bien.

POUR LES DÉBUTS DE SOIRÉE

Bloody mary + crostini au jambon cru

Accompagné d'un petit toast de mozzarella fondu, ce cocktail fétiche d'Hemingway fera sensation, lors de vos apéros.

BLOODY MARY

(pour 6 verres)
Dans un shaker, versez **25 cl de vodka, 50 cl de jus de tomate**, le **jus de 1 citron, 1 cuil. à café de sauce Worcestershire et 1 cuil. à café de Tabasco**. Secouez bien et répartissez le bloody mary dans 6 verres. Ajoutez **2 glaçons** par verre. **Salez et poivrez**. Dégustez illico presto.
Ajoutez un bâtonnet de céleri en travers de chaque verre. Pour un côté plus relevé, ajoutez éventuellement quelques pincées de sel de céleri.

CROSTINI AU JAMBON CRU

(pour 6 personnes)
Préchauffez le gril du four. Sur la plaque du four recouverte d'aluminium, disposez **6 petites tranches de pain de campagne**. Découpez **2 boules de mozza** en tranches et répartissez-les sur le pain. Arrosez d'**un filet d'huile d'olive** et mettez au four 5 min environ. Pendant ce temps, lavez et coupez **3 tomates** en petits dés. Dans un bol, mélangez les dés de tomates avec **2 cuil. à soupe d'huile d'olive**. **Salez** et **poivrez**. À la sortie du four, ajoutez sur chaque tranche de pain, quelques dés de tomates et des **lamelles de jambon cru** (comptez 4 tranches au total). Déposez **1 feuille de basilic** sur le dessus de chaque crostini. Servez illico presto.

LES VERRINES, KESAKO ?

·····⟩ **Pour un petit plus déco**, pensez à servir les plats qui s'y prêtent dans des verres. Et pourquoi pas ? Le gaspacho dans un verre à whisky, les œufs brouillés au bacon dans des verres à vodka, la mousse au chocolat (voir p. 54) et le tiramisu (voir p. 52) dans des verres à eau.

·····⟩ **Choisissez de préférence des verres transparents**, l'effet visuel sera garanti. N'hésitez pas à rajouter, sur le dessus de vos verrines, des petits trucs qui croustillent ou qui en mettent plein la vue, comme des petits croûtons et des petits cubes de concombre sur les gaspacho, des œufs de saumon sur les œufs brouillés ou encore des copeaux de chocolat blanc et des pépites sur les mousses au chocolat.

POUR ÉPATER LA GALERIE

Cosmopolitan + barquettes d'endives aux rillettes de thon
L'association est détonante : d'un côté, le cocktail de l'héroïne de Sex and the City, de l'autre, des petites bouchées avec une présentation originale.

COSMOPOLITAN (pour 4 verres)
Dans un shaker, versez **20 cl de vodka**, **10 cl de Cointreau**, **10 cl de jus d'airelle** et **3 cuil. à soupe de jus de citron vert**. Secouez bien et versez le tout dans 4 verres à cocktail.
····} **Si vous ne trouvez pas de jus d'airelle**, remplacez-le par du jus de groseille ou de la crème de cassis.

BARQUETTES DE RILLETTES DE THON
(pour 4 personnes)
Dans un bol, écrasez à la fourchette **1 grosse de boîte de thon à l'huile d'olive**, **75 g de carré frais** (de Saint-Môret ou de Chavroux), **2 cuil. à soupe d'estragon ciselé** surgelé et **2 cuil. à soupe de jus de citron**. **Salez** et **poivrez**.
Coupez l'extrémité de **2 endives** et enlevez les premières feuilles abîmées. Détachez les feuilles suivantes et déposez 1 noisette de rillettes de thon dans chaque feuille. Disposez les barquettes sur une assiette avant de servir.

POUR LES SOIRÉES ENTRE POTES

Sangria + sushis de viande des grisons au chèvre
Pour donner des allures d'auberge espagnole à votre appart', servez à toute votre tribu de la sangria accompagnée de ces sushis qui sortent des sentiers battus.

SANGRIA (pour tous vos potes)
Lavez et coupez en fines rondelles **2 citrons** et **2 oranges** bien rincés. Épluchez et coupez **2 pommes**, **2 poires** et **1 banane** en petits morceaux. Dans un très grand saladier, déposez les fruits coupés. Ajoutez **100 g de sucre en poudre**, **4 pincées de cannelle en poudre** et **2 pincées de noix muscade**. Ajoutez **2 bouteilles de vin rouge** et **7 cuil. à soupe de cognac**. Mélangez bien et laissez reposer 2 h au réfrigérateur. Juste avant de servir, ajoutez **1 l d'eau gazeuse** et **10 à 15 glaçons**. Servez à la louche.
····} **Choisissez un vin rouge assez corsé**, soit espagnol comme le rioja, soit français comme le cahors ou le corbières.

SUSHIS DE VIANDE DES GRISONS AU CHÈVRE
(pour 24 sushis)
Lavez, essorez et coupez finement, à l'aide de ciseaux, **100 g de roquette** et **1 botte de ciboulette**. Dans une assiette creuse, écrasez **4 Chavroux** avec la roquette, **4 cuil. à soupe d'huile d'olive**, **6 pincées de piment de Cayenne**. **Poivrez** et mélangez bien. Étalez généreusement cette préparation sur **24 tranches de viande des grisons** puis roulez-les sur elles-mêmes afin de former des sushis.

POUR LES JOURS DE FÊTE

**Cocktail au champagne +
mini-blinis au saumon fumé**
Luxe, calme et volupté
pour cet apéro
façon palace...
À tester de
toute
urgence.

COCKTAIL AU CHAMPAGNE
(pour 6 verres)
Dans un shaker, versez **10 cl de gin**, **le jus de 1/2 citron** et **1 cuil. à soupe de grenadine**. Secouez bien et répartissez le cocktail dans 6 coupes. Ajoutez **1 glaçon** et complétez le verre avec du **champagne** bien frais.

⌁⌁⌁⁀ **Pour une version plus sucrée,** rajoutez un peu plus de grenadine. Et pour une version plus économique, pensez au mousseux.

MINI-BLINIS AU SAUMON FUMÉ
(pour 6 personnes)
Préchauffez le four à 200 °C (th. 6-7). Sur la plaque du four recouverte d'aluminium, répartissez **18 mini-blinis**. Mettez au four 4 à 5 min environ. Pendant ce temps, découpez **3 tranches de saumon** en 6 morceaux. Une fois les blinis sortis du four, ajoutez successivement sur chaque bouchée : **1 cuil. à café de Saint-Môret**, 1 morceau de saumon et **1 pointe de miel d'acacia. Poivrez.**

POUR LES FINS DE SOIRÉE

Mojito + fruits au chocolat

MOJITO (pour 6 verres)
Lavez **3 citrons verts**, coupez-les en quartiers. Lavez **1 bouquet de menthe**. Puis répartissez dans les verres les quartiers de citron vert et les feuilles de menthe. Ajoutez **1 cuil. à café de sucre en poudre** dans chaque verre. Écrasez le tout à l'aide d'un pilon ou d'une cuiller en bois. Remplissez les verres de **glace pilée**. Ajoutez **6 cl de rhum blanc** par verre et complétez avec de l'**eau gazeuse**. Mélangez délicatement et servez avec une petite paille.

⌁⌁⌁⁀ **Si vous n'avez de glace pilée**, remplacez-la par des glaçons (comptez-en 4 par verre).

FRAISES AU CHOCOLAT
(pour **une vingtaine de fraises** environ)
Lavez les fraises et séchez-les en les disposant sur du papier absorbant. Déposez **150 g de chocolat** cassé en morceaux dans un récipient et faites-le fondre au micro-ondes. À la sortie du four, ajoutez **1 cuil. à café d'huile d'arachide** et lissez bien le chocolat fondu à l'aide d'une spatule. Puis trempez chaque fraise dans le chocolat fondu légèrement refroidi. Laissez-les durcir sur une feuille de papier sulfurisé pour que le chocolat prenne (1 h environ).

⌁⌁⌁⁀ **Quand ce n'est plus la saison des fraises,** troquez-les contre d'autres fruits (kumquats, raisin et même fruits secs). Vous pouvez aussi accompagner les mojitos de brochettes de bonbons (fraises Tagada ou chamallows) : il vous suffit pour cela de les piquer sur des cure-dents.

Le plateau-télé est un moment décontracté et cosy à déguster en solo, en amoureux ou entre potes. On vous propose des recettes simples à préparer et à déguster pour des soirées-télé au top. Alors, laissez-vous guider par ces idées qui changent. Et surtout, pas de prise de tête : faites avec les moyens du bord.

PLATEAUX-TÉLÉ

LE PLATEAU-TÉLÉ IDÉAL

⋯⟩ **Misez sur des plats qui ne refroidissent pas trop vite** et surtout qui se dégustent facilement ; on oublie donc les crevettes, les poissons truffés d'arêtes, les côtelettes et autres mets difficiles à dépiauter.

⋯⟩ **Côté boissons**, préférez des petites bouteilles d'eau ou des cannettes pour éviter les « passe-moi l'eau » au cœur des scènes cruciales.

⋯⟩ **Le must** : avoir même prévu un thermos d'eau chaude avec, au choix, sachets de thé ou de tisane et café soluble. Comme ça, vous pourrez enchaîner la trilogie *Star Wars* sans bouger d'un pouce !

CLUB SANDWICHS NORDIQUES

PRÉPARATION
20 MINUTES

Pour **4 personnes** | Coût : 💶💶 | Difficulté : ⭐

LISTE DES INGRÉDIENTS

┄┄> 12 tranches de schwarzbrot
(pain noir allemand)
6 tranches de saumon fumé
le jus de 1 citron
1 belle poignée de roquette
200 g de céleri rémoulade en barquette

┄┄> **Pour la sauce :**
1 pot moyen de crème fraîche (20 cl)
2 cuil. à café de moutarde forte
3 cuil. à soupe d'aneth ciselé surgelé
poivre

1 Dans un bol, mélangez la crème fraîche avec la moutarde et l'aneth. Poivrez. Arrosez les tranches de saumon avec le jus de citron. Lavez la roquette, essorez-la et coupez-la finement à l'aide de ciseaux. Puis, toastez légèrement les tranches de pain.

2 Disposez 4 tranches de pain côte à côte. Tartinez-les de la préparation à la crème fraîche. Puis ajoutez sur chacune d'entre elles 1 tranche de saumon et quelques feuilles de roquette ciselées.

3 Puis, ajoutez les 4 tranches de pain suivantes et tartinez-les de céleri rémoulade. Ajoutez le saumon restant coupé en fines lanières. Recouvrez le tout avec les 4 dernières tranches de pain. Coupez chaque club sandwich en diagonale à l'aide d'un couteau à pain.

LE PETIT + DE CYRIL

Si vous n'avez pas de schwarzbrot, n'hésitez pas à le remplacer par des toasts de pain de mie nature ou aux céréales.

CRÊPES AU CHÈVRE ET AUX PETITS LARDONS

PRÉPARATION 15 MINUTES

Pour **4 personnes** | Coût : **€** | Difficulté : ★ | Cuisson : **10 min**

LISTE DES INGRÉDIENTS

····} 4 galettes de sarrasin toutes prêtes
4 crottins de Chavignol
125 g de lardons
4 cuil. à café de crème fraîche épaisse
1/2 botte de ciboulette
quelques feuilles de salade verte pour la déco
poivre

1 Préchauffez le four à 200 °C (th. 6-7). Coupez les crottins de Chavignol en deux et déposez-les dans un plat à gratin. Enfournez 10 min environ, puis 1 min sur la position gril du four pour que les crottins dorent bien. Pendant ce temps, dans une poêle antiadhésive, faites revenir les lardons 8 min environ jusqu'à ce qu'ils soient bien croustillants. Remuez régulièrement.

2 Dans une autre poêle, faites chauffer une galette de sarrasin 30 sec de chaque côté. Puis ajoutez 1 cuil. à café de crème fraîche, 2 demi-crottins et quelques lardons. Poivrez. Pliez la crêpe en carré et faites-la glisser dans une assiette. Ajoutez quelques feuilles de salade sur le bord de l'assiette et parsemez de ciboulette préalablement lavée et coupée juste avant de servir. Répétez l'opération pour les galettes suivantes.

POUR ALLER PLUS VITE

····} Vous pouvez remplacer les lardons poêlés par des lamelles de saumon fumé.

LE COUP DE POUCE

····} Vous pouvez remplacer le fromage de chèvre par du reblochon, du camembert ou du fromage à raclette : ajoutez le fromage directement dans la poêle pour qu'il fonde sur la crêpe.

LE PETIT + DE CYRIL

Testez cette recette accompagnée d'une petite salade d'endives aux pommes. Comptez 3 endives pour 1 pomme. Parsemez le tout de cerneaux de noix. C'est un délice !

LES CHEESEBURGERS D'ADRIEN

Pour **4 personnes** │ Coût : **€ €** │ Difficulté : ⭐ │ Cuisson : **10 min**

LISTE DES INGRÉDIENTS

- 4 steaks hachés
- 4 pains à hamburger
- 4 cuil. à café de moutarde
- 4 cuil. à café de ketchup
- 4 tranches de bacon
- 2 cuil. à soupe de ciboulette ciselée surgelée
- 4 tranches de fromage à hamburger
- 4 poignées de gruyère râpé
- 2 tomates
- 1 oignon
- 4 feuilles de laitue
- 1 noisette de beurre pour la poêle
- sel et poivre

1 Préchauffez le four à 180 °C (th. 6). Dans une poêle, faites chauffer le beurre. Ajoutez les steaks et laissez cuire 6 min environ en les retournant régulièrement. Salez et poivrez.

2 Pendant ce temps, coupez les pains en deux et badigeonnez le chapeau de moutarde et la base de ketchup. Une fois cuits, déposez les steaks sur le pain recouvert de ketchup.

3 Dans la même poêle, faites griller le bacon jusqu'à ce qu'il devienne croustillant. Puis ajoutez successivement, sur les steaks, la ciboulette, le fromage à hamburger, le bacon et le gruyère râpé. Recouvrez le tout avec l'autre moitié de pain pour former le hamburger.

4 Déposez les 4 hamburgers sur la plaque du four recouverte d'aluminium et mettez au four 10 min environ. Pendant ce temps, lavez et coupez les tomates en rondelles. Épluchez et coupez l'oignon en fines rondelles.

5 Répartissez les hamburgers dans 4 assiettes, ajoutez l'oignon, les tomates et la laitue sur le bord de chaque assiette. Servez illico presto.

POUR ALLER PLUS VITE

Faites griller le pain à hamburger au grille-pain et supprimez le gruyère râpé. Pour que le fromage à hamburger fonde, posez-le directement sur les steaks à la sortie de la poêle.

LE PETIT + DE CYRIL

Pour un goût plus relevé, mélangez votre viande hachée avec 1 pincée de piment d'Espelette et 2 pincées de paprika en poudre. Reformez ensuite 4 steaks.

OMELETTE DU DIMANCHE SOIR

PRÉPARATION
10 MINUTES

Pour **4 personnes** | Coût : **E** | Difficulté : ⭐ | Cuisson : **15 min**

LISTE DES INGRÉDIENTS

- 10 œufs
- 4 oignons
- 100 g de lardons
- 1 poignée de comté râpé
- 3 cuil. à soupe d'huile d'olive pour la poêle
- poivre

1 Épluchez les oignons et coupez-les en fines rondelles. Dans une poêle antiadhésive, faites chauffer l'huile. Ajoutez les oignons et laissez-les revenir 2 min environ. Puis ajoutez les lardons et laissez cuire le tout 7 à 8 min en remuant régulièrement.

2 Pendant ce temps, cassez les œufs dans un saladier et battez-les en omelette à l'aide d'une fourchette. Poivrez et ajoutez le comté râpé. Mélangez à nouveau.

3 Versez les œufs battus dans la poêle et faites cuire l'omelette 6 à 7 min environ en décollant les bords à l'aide d'une spatule en bois. Pour savoir si elle est prête, soulevez un bord : il doit être doré alors que le dessus de l'omelette reste encore légèrement baveux. Servez illico presto.

POUR ALLER PLUS VITE

- Utilisez des oignons émincés et des fines herbes ciselées surgelés.

LE COUP DE POUCE

- Si vous n'avez pas de lardons, remplacez-les par du jambon ou des saucisses cuites coupées en petits morceaux.

LE PETIT + DE CYRIL

N'hésitez pas à composer votre omelette avec les moyens du bord : champignons de Paris, dés de tomates fraîches, cubes de mozza, fines herbes ciselées et pommes de terre.

PÂTES
AU BASILIC

Pour **4** personnes │ Coût : **€** │ Difficulté : ⭐ │ Cuisson : **6 min environ**

LISTE DES INGRÉDIENTS

┈┈→ 400 g de tagliatelles fraîches
3 beaux bouquets de basilic
1 petite poignée de roquette
2 gousses d'ail
120 g de parmesan râpé

10 cl d'huile d'olive
3 cuil. à soupe de pignons de pin
2 cuil. à soupe de crème liquide
quelques pignons pour la déco
sel et poivre

1 Dans une casserole d'eau bouillante salée, faites cuire les pâtes al dente comme indiqué sur le paquet.

2 Pendant ce temps, préparez la sauce pesto. Rincez le basilic et la roquette. Épluchez et coupez les gousses d'ail en deux. Ôtez le germe s'il y en a un. Passez au mixeur le basilic, la roquette, l'ail, la moitié du parmesan (60 g), l'huile d'olive et les pignons jusqu'à obtention d'une purée fine.

3 Égouttez les pâtes et ajoutez-y la crème liquide puis la sauce pesto. Poivrez et mélangez bien. Parsemez avec le parmesan restant et quelques pignons avant de servir.

LES COUPS DE POUCE

┈┈→ Si vous n'avez pas de crème liquide, remplacez-la par de la crème fraîche épaisse.
┈┈→ Sachez que vous pouvez aussi préparer la sauce dans un mortier.
┈┈→ Pas de panique si votre mixeur a du mal à broyer les ingrédients de la sauce pesto : mixez par à-coups, en dégageant la lame du mixeur avec une cuiller en bois entre chaque session. Dans ce cas, débranchez toujours l'appareil pour plus de sécurité.

LE PETIT + DE CYRIL

Juste avant de servir vos pâtes, ajoutez 1 boule de mozza coupée en dés et quelques tomates confites.

PIZZA COMME LÀ-BAS

Pour 4 personnes | Coût : **€** | Difficulté : ⭐ | Cuisson : **25 min**

LISTE DES INGRÉDIENTS

····⟩ 1 pâte à pizza toute prête
5 tomates
2 boules de mozzarella

10 feuilles de basilic
2 poignées de gruyère râpé
1 filet d'huile d'olive

1 Préchauffez le four à 220 °C (th. 7-8). Dans une casserole d'eau bouillante, plongez les tomates 30 sec environ. Lorsque leur peau commence à se décoller, ressortez-les une à une à l'aide d'une écumoire ou d'une louche. Pelez-les et coupez-les en deux en ôtant grossièrement les graines et le jus. Coupez la chair en petits morceaux et égouttez-la bien, soit dans une passoire, soit en la pressant entre vos mains. Égouttez et coupez la mozzarella en tranches fines. Lavez et coupez finement les feuilles de basilic.

2 Étalez la pâte à pizza directement sur la plaque du four en conservant la feuille de papier sulfurisé. Ajoutez successivement les tomates, la mozzarella, le gruyère râpé et le basilic. Salez et poivrez. Arrosez d'un filet d'huile d'olive. Mettez au four 20 à 25 min environ jusqu'à ce que la pizza soit fondante et dorée.

POUR ALLER PLUS VITE

····⟩ Remplacez les tomates par du concentré de tomates et tartinez-le directement sur la pâte. N'en mettez pas trop, le goût est déjà relevé.

LE COUP DE POUCE

····⟩ Laissez libre cours à vos envies pour adapter cette pizza Margherita ; vous pouvez rajouter, juste avant de la mettre au four, au choix : anchois, fromage de chèvre, champignons émincés, rondelles de chorizo, olives noires, dés d'épaule, jambon, œuf miroir ou éventuellement des câpres.

LE PETIT + DE CYRIL

Pour un petit goût provençal, pensez à tartiner la pâte d'une fine couche de tapenade.

CRUMBLES-MINUTE GLACÉS

PRÉPARATION
15
MINUTES

Pour **4 personnes** | Coût : **€ €** | Difficulté : ★

LISTE DES INGRÉDIENTS

⸺⟩ **Pour les fruits :**
250 g de framboises
8 boules de glace à la pistache
4 cuil. à café de pistaches décortiquées
et non salées

⸺⟩ **Pour la pâte :**
8 mini-macarons à la framboise
8 mini-macarons à la pistache

1 Rincez les framboises et séchez-les délicatement en les posant sur du papier absorbant. Cassez les pistaches en petits morceaux dans un mortier ou à l'aide du manche d'un couteau. Émiettez les macarons à la main.

2 Répartissez les boules de glace à la pistache dans 4 grands verres transparents. Ajoutez les framboises, puis les pistaches concassées. Recouvrez le tout de macarons émiettés. Servez illico presto.

POUR ALLER PLUS VITE

⸺⟩ Laissez les pistaches entières, vous n'aurez plus besoin de les concasser.

LE COUP DE POUCE

⸺⟩ Ce dessert peut se décliner à l'infini selon vos goûts. Voici trois variantes qui valent le détour :
– sorbet aux fruits rouges + myrtilles + macarons vanille et framboise + noisettes
– glace au chocolat + poires + macarons praliné et chocolat + coulis de chocolat
– glace à la vanille + fraises + macarons pistache et fraise + coulis de fruits rouges

LE PETIT + DE CYRIL

Vous pouvez aussi remplacer les macarons par des biscuits émiettés (spéculoos, palets bretons ou petits Lu).

POIRES BELLE-HÉLÈNE

PRÉPARATION **15 MINUTES**

Pour **6 personnes** | Coût : **E** | Difficulté : ⭐ | Cuisson : **15 min**

LISTE DES INGRÉDIENTS

┈┈> 6 poires mûres
le jus de 1 citron
2 gousses de vanille
75 cl d'eau
375 g de sucre en poudre

┈┈> **Pour la sauce au chocolat :**
300 g de chocolat noir
3 cuil. à soupe de crème liquide
1 cuil. à soupe d'huile d'arachide

1 Épluchez les poires à l'aide d'un économe en les laissant entières avec la queue. Arrosez-les de jus de citron. Fendez en deux les gousses de vanille dans le sens de la longueur et grattez l'intérieur avec la pointe d'un couteau. Mettez les gousses et leur chair dans une casserole. Versez l'eau et le sucre et faites chauffer à feu doux. Portez ce mélange à ébullition pour obtenir un sirop (5 min environ).

2 Laissez cuire les poires à feu très doux dans le sirop (8 min environ) pour les pocher. Elles sont prêtes quand elles deviennent translucides mais restent encore fermes. Hors du feu, laissez-les refroidir dans le sirop.

3 Pour la sauce au chocolat, faites fondre, au micro-ondes, le chocolat en morceaux avec la crème liquide. À la sortie du four, lissez-le bien à l'aide d'une spatule jusqu'à obtention d'une sauce onctueuse. Ajoutez-y 1 cuil. à soupe d'huile d'arachide pour le rendre brillant. Égouttez vos poires et servez-les illico presto nappées de chocolat chaud.

POUR ALLER PLUS VITE

┈┈> Choisissez des poires au sirop (en conserve) et nappez-les avec la sauce au chocolat chaude.

LE PETIT + DE CYRIL

Pour une version plus gourmande, saupoudrez vos poires Belle-Hélène de pistaches, de noix de pécan concassées ou d'amandes effilées.

LES PETITS PLUS DES PLATEAUX-TÉLÉ

Faites simple et surtout faites tout pour éviter de vous relever en plein film. L'idée, c'est donc de tout avoir à portée de main sur son plateau, de l'entrée au dessert. Sans oublier : sel, poivre, beurre, pain, boissons, serviettes en papier, couverts adaptés et, évidemment, la télécommande !

C'EST PRÊT EN 2 SECONDES ET ÇA LE FAIT...

Quand vous n'avez pas le temps, pensez aux petites suggestions qui suivent. Contrairement à ce qu'on pourrait penser, elles se réalisent en un clin d'œil et, croyez-nous, elles en jettent !

⟶ CÔTÉ SALÉ

LES 3 INCONTOURNABLES

Œufs cocotte à la ciboulette (voir p. 134), tomates-mozza et basilic (voir p. 48) et carpaccio de bœuf aux copeaux de parmesan (voir p. 104).

RAVIOLES DE ROYAN À LA CRÈME ET AU PARMESAN

2 min de cuisson dans une casserole d'eau bouillante et le tour est joué ! Une fois cuites, égouttez les **ravioles**. Vous n'avez plus qu'à ajouter **2 cuil. à soupe de crème fraîche épaisse** et du **parmesan râpé**. Pour ajouter une petite note déco, parsemez le tout de **ciboulette** finement coupée.

TARTINES DE FROMAGE SUCRÉ-SALÉ

Toastez une tartine de **pain de campagne**, badigeonnez-la d'une fine couche de **confiture de cerises noires** et ajoutez sur le dessus quelques **lamelles de Petit-Basque** (fromage de brebis).

⟶ CÔTÉ SUCRÉ

SANDWICHS SUCRÉS

Pour cela, il suffit de badigeonner des tranches de **pain de mie ou de brioche** avec de la **confiture**. Ajoutez ensuite des **lamelles de fruits** (pommes, poires ou fraises). Saupoudrez le tout de **fruits secs** (cerneaux de noix, amandes effilées, noix de coco râpée...). Pour varier les plaisirs, vous pouvez aussi tartiner votre pain de Nutella et ajoutez quelques rondelles de banane.

FROMAGE BLANC À CUSTOMISER...

- avec un filet de miel liquide et quelques noix de pécan émiettées.
- avec un coulis de fruits rouges et des pistaches concassées.
- avec de la crème de marron et des amandes effilées.

À CHAQUE PROGRAMME, SON MENU

DEVANT UN WESTERN
Avec qui ? En solo.
Au menu ? Chips mexicaines à tremper dans du guacamole ou à passer au four quelques minutes avec du cheddar + omelette du dimanche soir (voir p. 90) + fromage blanc au miel ou à la crème de marron + 1 Corona avec un quartier de citron vert.

DEVANT UN FILM D'ACTION
Avec qui ? Votre meilleur pote.
Au menu ? 1 bon saucisson et des cubes de comté + cheese-burger (voir p. 88) + poires Belle-Hélène (voir p. 98) + 1 soda ou 1 bloody mary pour les plus audacieux (voir p. 79).

DEVANT UNE LOVE STORY
Avec qui ? Votre chéri(e).
Au menu ? Tomates-mozza (voir p. 48) + pâtes au basilic (voir p. 92) + salade de fruits ou, pour une version plus gourmande : crumbles-express glacés (voir p. 96) + 1 bouteille de chianti (vin rouge italien) pour jouer la carte dolce vita.

DEVANT UN MATCH DE FOOT
Avec qui ? Toute votre bande de potes.
Au menu ? Chips et beaucoup de mini-saucisses + 1 pizza comme là-bas (voir p. 94) + 2 ou 3 pots de crème glacée américaine ou des esquimaux, version XXL + des cannettes de bière, évidemment !

LES 10 FILMS QUI DONNENT LES CROCS

Le Festin de Babette, de Gabriel Axel, avec Stéphane Audran.
La Soupe aux choux, de Jean Girault, avec Louis de Funès et Jacques Villeret.
Une affaire de goût, de Bernard Rapp, avec Bernard Giraudeau et Charles Berling.
L'Aile ou la Cuisse, de Claude Zidi, avec Louis de Funès et Coluche.
Cuisine et Dépendances, de Philippe Muyl, avec Zabou Breitman et Jean-Pierre Darroussin.
La Grande Bouffe, de Marco Ferreri, avec Marcello Mastroianni, Philippe Noiret et Michel Piccoli.
Beignets de tomates vertes, de Jon Avnet, avec Jessica Tandy et Marie Stuart Masterson.
La Cuisine au beurre, de Gilles Grangier, avec Bourvil et Fernandel.
Les Visiteurs du soir, de Marcel Carné, avec Arletty.
Et même *Peter Pan*, de Walt Disney, avec la scène du banquet pour les grands enfants.

Vous venez d'inviter une brochette de copains sur un coup de tête ? Voici quelques règles d'or pour assurer sans vous prendre la tête.

Ayez toujours sous la main un petit stock bien ciblé : gâteaux apéro, chips, saucisson et fromages permettront de préparer des apéros gourmands qui auront tendance à s'éterniser. Pensez aussi au trio gagnant : guacamole, hoummous et tarama. Vous récupérerez ainsi un temps précieux pour finir de cuisiner.

DÎNERS ENTRE POTES

LES PETITS PLUS DÉCO

····⟩ **Éclairages ludiques** : troquez les ampoules classiques contre des ampoules colorées ; et pour les mini-budgets, pensez à disséminer des bougies chauffe-plat un peu partout dans la pièce.

····⟩ **Centres de table atypiques** : pour décorer votre table, voici 2 idées qui en jettent.
- Une table verte décorée de feuilles de bananiers (en vente dans les épiceries asiatiques).
- Une table design avec juste posé au centre un saladier transparent rempli d'eau avec au choix des pommes, des oranges ou des bougies flottantes.

····⟩ **Idée plus** : posez au milieu de la table un appareil photo jetable. Vos copains n'auront plus qu'à capturer les moments les plus fun.

CARPACCIO DE BŒUF AUX COPEAUX DE PARMESAN

Préparation 10 MINUTES

Pour **4 personnes** │ Coût : **€ €** │ Difficulté : ⭐

LISTE DES INGRÉDIENTS

┈┈⟩ **Pour le carpaccio :**
500 g de filet de bœuf coupé en carpaccio
8 cuil. à soupe d'huile d'olive
1/2 citron
150 g de parmesan (non râpé)
fleur de sel et poivre du moulin

┈┈⟩ **Pour la salade :**
4 poignées de roquette
4 cuil. à soupe d'huile d'olive
2 cuil. à soupe de vinaigre balsamique
sel et poivre

1 Préparez la salade : lavez et essorez la roquette. Dans un saladier, mélangez l'huile d'olive avec le vinaigre. Salez et poivrez. Ajoutez la roquette, mélangez bien puis répartissez dans 4 bols.

2 Disposez la viande en rosace dans 4 grandes assiettes. Arrosez chacune de 2 cuil. à soupe d'huile d'olive et de 1 filet de jus de citron. Salez légèrement et poivrez.

3 Réalisez des copeaux de parmesan à l'aide d'un économe ou d'un couteau et répartissez-les sur la viande. Servez illico presto avec la salade de roquette.

POUR ALLER PLUS VITE

┈┈⟩ Utilisez des copeaux de parmesan tout prêts en vente dans les fromageries ou au rayon frais des supermarchés.

LE COUP DE POUCE

┈┈⟩ Vous trouverez de la viande à carpaccio soit chez votre boucher, soit au rayon boucherie des supermarchés.

LE PETIT + DE CYRIL

Pour un petit plus gustatif, vous pouvez ajouter au choix : des câpres, des olives noires ou vertes, des pignons de pin, des champignons de Paris coupés finement, du persil, des zestes de citron ou du persil plat ciselé.

ÉPAULE D'AGNEAU CONFITE AUX PETITS OIGNONS

PRÉPARATION 10 MINUTES

Pour **8 personnes** | Coût : **€ € €** | Difficulté : ⭐ | Cuisson : **3 h**

LISTE DES INGRÉDIENTS

---> 1 épaule d'agneau (1,5 kg environ)
2,5 kg de petits oignons
4 cuil. à soupe d'huile d'olive
2 cuil. à café de ras-el-hanout
1 filet d'huile pour la viande
sel et poivre

MATÉRIEL NÉCESSAIRE

---> 1 cocotte en fonte

1 Épluchez les petits oignons. Dans une cocotte, versez l'huile d'olive. Ajoutez le ras-el-hanout et mélangez bien pour qu'il se répande. Ajoutez les oignons entiers et mélangez à nouveau.

2 Déposez par-dessus l'épaule d'agneau. Salez et poivrez. Ajoutez le filet d'huile d'olive et couvrez. Glissez la cocotte dans le four et laissez cuire 3 h en arrosant régulièrement. Rajoutez un peu d'eau chaude dans le fond du plat si nécessaire. Servez illico presto.

POUR ALLER PLUS VITE

---> Déposez l'épaule d'agneau dans un plat à gratin et faites-la cuire 15 min à 230 °C (th. 7-8) avec 2 cuil. à soupe d'huile d'olive. Puis poursuivez la cuisson pendant 1 h à 180 °C (th. 6) en arrosant régulièrement.

LES COUPS DE POUCE

---> La clé de la réussite ? Pour que votre viande soit bien fondante, arrosez-la régulièrement de son jus tout au long de la cuisson.
---> Le ras-el-hanout, mélange d'épices marocaines, se trouve facilement en grandes surfaces. À défaut, remplacez-le par du curry en poudre.
---> Vous pouvez rajouter, en même temps que les oignons, quelques petites pommes de terre. Un délice !

LE PETIT + DE CYRIL

Déposez dans chaque assiette quelques rondelles de pomme granny.
Sa saveur acidulée se marie à merveille avec l'agneau.

FILET DE THON AUX CÂPRES

PRÉPARATION 15 MINUTES

Pour **4 personnes** | Coût : **€ €** | Difficulté : **★ ★** | Cuisson : **10 min** | Marinade : **45 min**

LISTE DES INGRÉDIENTS

····▷ **Pour la marinade :**
- 4 cuil. à soupe d'huile d'olive pour la marinade
- 1/2 cuil. à café de ras-el-hanout
- 2 pincées de piment d'Espelette
- sel et poivre

····▷ **Pour le poisson :**
- 4 tranches de thon frais
- 3 cuil. à soupe d'huile pour la cuisson du poisson

····▷ **Pour la sauce aux câpres :**
- 1 oignon
- 1 échalote
- 1/2 bouquet de persil
- 1 tomate
- 80 g de câpres
- 3 cuil. à soupe de concentré de tomates
- 1 noisette de beurre pour la poêle
- sel et poivre

1 Pour la marinade, mélangez dans un plat à gratin l'huile d'olive, le ras-el-hanout et le piment. Salez et poivrez. Mélangez bien puis ajoutez les tranches de thon et laissez-les mariner 45 min en les retournant à mi-parcours.

2 À la fin de la marinade, préparez la sauce : épluchez et coupez finement l'oignon et l'échalote. Lavez et coupez finement le persil. Lavez et coupez la tomate en petits dés. Égouttez les câpres.

3 Dans une poêle, faites chauffer la noisette de beurre. Ajoutez l'oignon et l'échalote ; laissez-les revenir 2 min. Ajoutez successivement concentré de tomates, persil, câpres et dés de tomate. Salez et poivrez. Faites cuire à feu doux 5 min en mélangeant régulièrement.

4 En même temps, dans une autre poêle, faites chauffer l'huile d'olive. Ajoutez les tranches de thon et laissez-les cuire 3 à 4 min de chaque côté. Une fois cuits, déposez les filets de thon dans 4 assiettes et nappez-les avec la sauce aux câpres. Servez illico presto avec du riz blanc ou des tagliatelles fraîches.

POUR ALLER PLUS VITE

····▷ Zappez l'étape de la marinade et poêlez vos tranches de thon directement.

LE COUP DE POUCE

····▷ Le ras-el-hanout, mélange d'épices marocaines, se trouve facilement en grandes surfaces. À défaut, remplacez-le par du cumin en poudre.

LE PETIT + DE CYRIL

Pensez à parsemer vos filets de thon de graines de sésame juste avant de servir.

LE VRAI HACHIS PARMENTIER

PRÉPARATION 20 MINUTES

Pour **6 personnes** | Coût : **E** | Difficulté : ★★ | Cuisson : **30 min + 20 min**

LISTE DES INGRÉDIENTS

⤏ **Pour la viande :**
- 400 g de bœuf haché
- 200 g de chair à saucisse
- 2 oignons
- 3 cuil. à soupe de persil ciselé surgelé
- 100 g de comté râpé
- 1 noisette de beurre pour la poêle
- sel et poivre

⤏ **Pour la purée :**
- 1,2 kg de pommes de terre
- 60 g de beurre
- 40 cl de lait
- 1 pincée de noix muscade
- 1 noisette de beurre pour le plat

1 Épluchez les pommes de terre et coupez-les en deux. Dans une casserole d'eau bouillante salée, faites-les cuire 20 à 25 min selon leur grosseur. Épluchez les oignons et coupez-les finement. Dans une poêle, faites fondre la noisette de beurre. Ajoutez les oignons et faites-les revenir 5 min. Puis ajoutez la viande, la chair à saucisse et le persil. Laissez cuire 10 min environ en remuant régulièrement. Salez et poivrez.

2 Préchauffez le four à 200 °C (th. 6-7). Une fois les pommes de terre cuites, égouttez-les bien et passez-les au moulin à légumes. Ajoutez le lait, 50 g de beurre et la pincée de noix muscade. Mélangez énergiquement jusqu'à obtention d'une purée onctueuse.

3 Dans un plat à gratin beurré, déposez la viande. Puis recouvrez-la d'une belle couche de purée. Parsemez le tout de comté râpé. Ajoutez les 10 g de beurre restant coupé en petits morceaux sur le dessus du gratin avant de mettre au four 15 à 20 min.

POUR ALLER PLUS VITE

⤏ Remplacez la purée maison par de la purée surgelée. Vous éviterez ainsi les 25 min de cuisson pour les pommes de terre.

LE COUP DE POUCE

⤏ Si vous n'avez pas de moulin à légumes, armez-vous de courage et écrasez vos pommes de terres à la fourchette.

LE PETIT + DE CYRIL

Pour varier les plaisirs, variez les viandes et pourquoi pas un parmentier de confit de canard ? Dans ce cas-là, troquez la viande par la même quantité de confit de canard effiloché.

RISOTTO D'ARTICHAUTS, PARMESAN ET JAMBON DE PARME

PRÉPARATION
15 MINUTES

Pour **4 personnes** │ Coût : **€€** │ Difficulté : **★★★** │ Cuisson : **40 min**

LISTE DES INGRÉDIENTS

┈┈> 250 g de riz arborio
2 cubes à bouillon de volaille
1 bocal de cœurs d'artichauts (10 env.)
2 cuil. à café d'ail surgelé
2 cuil. à soupe de persil ciselé surgelé
20 cl de vin blanc sec
100 g de parmesan râpé
4 tranches de jambon de Parme
3 cuil. à soupe huile d'olive pour le faitout

1 Préparez le bouillon : dans une casserole, faites chauffer 1 l d'eau. Dès qu'elle bout, ajoutez les cubes de bouillon. Remuez pour diluer. Égouttez les artichauts, coupez chaque cœur en deux.

2 Dans un faitout, faites revenir, dans l'huile d'olive, l'ail et le persil pendant 2 min environ. Ajoutez les artichauts et laissez cuire 3 min en mélangeant régulièrement. Ajoutez ensuite le riz cru et remuez à feu doux jusqu'à ce que les grains deviennent translucides (3 min environ).

3 Ajoutez le vin blanc et mélangez jusqu'à ce qu'il soit absorbé. Puis ajoutez une louche de bouillon. Mélangez et laissez cuire jusqu'à ce que le bouillon soit bien absorbé par le riz. Répétez l'opération jusqu'à ce qu'il n'y ait plus de bouillon. Remuez régulièrement.

4 Ajoutez le parmesan au dernier moment dans le faitout. Mélangez et laissez-le fondre 3 min. Servez illico presto dans 4 assiettes creuses et ajoutez sur le dessus 1 tranche de jambon de Parme roulée.

LE PETIT + DE CYRIL

La clé de la réussite : utilisez du riz arborio et mélangez régulièrement le riz pendant la cuisson tout en versant le bouillon.

TARTE RUSTIQUE GORGONZOLA ET JAMBON DE SAVOIE

PRÉPARATION 30 MINUTES

Pour **4 à 6 personnes** | Coût : **€ €** | Difficulté : **★ ★** | Cuisson : **40 min**

LISTE DES INGRÉDIENTS

····⟩ 1 pâte brisée pur beurre toute prête
2 belles pommes de terre
150 g de gorgonzola
4 tranches de jambon de Savoie
2 œufs
20 cl de crème liquide
1 noisette de beurre pour le moule
sel et poivre

1 Préchauffez le four à 180 °C (th. 6). Épluchez les pommes de terre et coupez-les en deux. Dans une casserole d'eau bouillante salée, faites cuire les pommes de terre 15 à 20 min selon leur grosseur jusqu'à ce qu'elles soient tendres.

2 Beurrez un moule à tarte et étalez-y la pâte brisée. Piquez le fond à l'aide d'une fourchette et mettez au four 10 min environ pour précuire la pâte. Ôtez la croûte du gorgonzola et coupez-le en morceaux. Dégraissez le jambon et coupez-le en lamelles à l'aide de ciseaux.

3 Dans un saladier, battez en omelette les œufs avec la crème. Poivrez bien. Une fois cuites, égouttez les pommes de terre, coupez-les en rondelles et déposez-les sur le fond de tarte précuit. Puis, ajoutez le gorgonzola et le jambon. Nappez le tout avec la préparation aux œufs et mettez au four 40 min. Servez illico presto.

POUR ALLER PLUS VITE

····⟩ Faites chauffer l'eau à la bouilloire pour la cuisson des pommes de terre. Vous pouvez aussi tout simplement les supprimer.

LE PETIT + DE CYRIL

Servez cette tarte en plat unique accompagnée d'une belle salade de pousses d'épinard, de cresson ou d'endives aux noix.

CRUMBLE DORÉ AUX POMMES

PRÉPARATION 15 MINUTES

Pour **6 personnes** │ Coût : **€** │ Difficulté : ⭐⭐ │ Cuisson : **30 min**

LISTE DES INGRÉDIENTS

⤑ **Pour les fruits :**
   6 belles pommes
   1 sachet de sucre vanillé
   3 pincées de cannelle en poudre

⤑ **Pour la pâte à crumble :**
   125 g de beurre
   200 g de farine
   150 g de sucre roux

1 Préchauffez le four à 210 °C (th. 7). Épluchez et coupez les pommes en petits morceaux. Répartissez-les dans le fond d'un moule. Saupoudrez-les de sucre vanillé et de cannelle.

2 Pour la pâte à crumble, coupez le beurre en morceaux et faites-le ramollir au micro-ondes. Dans un saladier, mélangez bien la farine avec le sucre roux. Puis ajoutez le beurre ramolli. Malaxez la préparation avec les mains puis émiettez-la du bout des doigts pour lui donner une consistance sableuse (comme une grosse semoule).

3 Ajoutez-la sur les pommes en une couche régulière. Mettez au four 30 min environ. Servez chaud, tiède ou froid, nature, avec 1 boule de glace à la vanille ou 1 noisette de crème fraîche.

LES COUPS DE POUCE

⤑ Pour une pâte à crumble plus originale, troquez les 200 g de farine contre 50 g de poudre de noisettes et 150 g de farine.

⤑ Pour les plus gourmands, intercalez, entre les pommes et la pâte, 1 barquette de framboises écrasées.

LE PETIT + DE CYRIL

Pour une note plus épicée, augmentez les doses de cannelle à 5 ou 6 pincées.

FONDUE
AU CHOCOLAT

PRÉPARATION **20** MINUTES

Pour **8 personnes** | Coût : **€€** | Difficulté : ★ | Cuisson : **10 min**

LES INGRÉDIENTS

····〉 **Pour les fruits :**
    1 ananas
    1 mangue
    2 bananes
    2 oranges ou 4 mandarines
    2 poires
    250 g de fraises

····〉 **Pour la sauce au chocolat :**
    600 g de chocolat noir à cuire
    45 cl de crème liquide

····〉 1 belle brioche

MATÉRIEL NÉCESSAIRE

····〉 1 caquelon à fondue

1 Lavez, épluchez et coupez tous les fruits en morceaux. Coupez la brioche en cubes. Cassez le chocolat en morceaux. Dans le caquelon, faites-le fondre à feu doux avec la crème liquide. Mélangez régulièrement jusqu'à obtention d'une sauce onctueuse.

2 Posez le caquelon sur le réchaud à alcool allumé. Attablez-vous et trempez les fruits et les cubes de brioche dans la fondue. Dégustez illico presto.

POUR ALLER PLUS VITE

····〉 Pensez à utiliser des fruits en conserves ou des fruits qui n'ont pas besoin d'être épluchés : fraises, abricots…

LES COUPS DE POUCE

····〉 Pour avoir une texture plus fluide, rajoutez simplement 1 cuil. à soupe de lait dans le chocolat fondu.
····〉 Ne préparez pas vos fruits trop à l'avance, ils risqueraient de noircir à l'air libre.
····〉 Pour un petit plus gustatif, saupoudrez chaque bouchée chocolatée de 1 pincée de noix de coco râpée (en vente en grandes surfaces, au rayon pâtisserie).

LE PETIT + DE CYRIL

En plus des fruits et de la brioche, pensez à tremper des chamallows dans la fondue au chocolat. Un régal !

TARTE FONDANTE AU CHOCOLAT

Pour **4 personnes** | Coût : **€** | Difficulté : ★ | Cuisson : **20 min** | repos : **1 h**

LISTE DES INGRÉDIENTS

····⟩ 1 pâte sablée pur beurre toute prête
30 cl de crème liquide
250 g de chocolat noir à cuire
1 œuf
75 g de sucre en poudre
1 noisette de beurre pour le moule

1 Préchauffez le four à 180 °C (th. 6). Étalez la pâte dans un moule à tarte beurré. Piquez le fond à l'aide d'une fourchette et mettez au four 10 min pour précuire la pâte.

2 Pendant ce temps, dans une casserole, faites chauffer, à feu doux, la crème liquide jusqu'à ce qu'elle bout, en mélangeant sans cesse. Hors du feu, ajoutez le chocolat cassé en morceaux. Mélangez bien à l'aide d'un fouet jusqu'à obtention d'une pâte lisse. Ajoutez l'œuf et le sucre. Mélangez à nouveau.

3 Versez la préparation sur le fond de tarte précuit et mettez au four 20 min en diminuant la température du four à 150 °C (th. 5). Une fois cuite, laissez bien refroidir cette tarte pour que le chocolat prenne (1 h environ).

POUR ALLER PLUS VITE

····⟩ Faite cuire le fond de tarte 20 à 25 min puis tartinez-le de Nutella. Parsemez le tout de quelques amandes effilées avant de servir.

LE COUP DE POUCE

····⟩ La clé de la réussite ? Ne cuisez pas cette tarte trop longtemps : c'est en refroidissant que le chocolat prend la bonne consistance.

LE PETIT + DE CYRIL

Pensez à confectionner des tartelettes individuelles. Pour un côté encore plus gourmand, badigeonnez les fonds de tarte précuits avec de la marmelade d'oranges. Vous pouvez aussi les parsemer de noisettes concassées.

LES PETITS PLUS DES DÎNERS ENTRE POTES

LES PETITES ASTUCES POUR GAGNER DU TEMPS

⋯⋙ **Préparez votre vinaigrette à l'avance** en grande quantité.

LA VINAIGRETTE TRADITIONNELLE

6 cuil. à soupe de vinaigre de vin rouge
3 cuil. à café de moutarde forte
18 cuil. à soupe d'huile d'olive
sel et poivre

Mélangez le vinaigre avec le sel et le poivre dans un bol. Puis, ajoutez la moutarde et l'huile d'olive. Mélangez bien.

LA VINAIGRETTE QUI CHANGE

20 cl d'huile d'olive
2 cuil. à soupe de vinaigre de vin blanc
1 poignée d'olives noires dénoyautées

8 feuilles de basilic
1/2 gousse d'ail
2 cuil. à soupe de jus de citron
1 cuil. à soupe d'origan haché
sel et poivre

Lavez et ciselez le basilic. Coupez les olives en tout petits morceaux. Épluchez la gousse d'ail. Ôtez le germe, s'il y en a un, puis hachez-la. Dans un bol, mélangez le vinaigre avec le sel et le poivre. Versez le jus de citron et l'huile d'olive, puis ajoutez les olives, le basilic ciselé, l'ail et l'origan. Mélangez bien.

⋯⋙ **Mettez la table la veille**
ou le matin même, avant d'aller au bureau, et sans rien oublier : carafe d'eau, corbeille à pain, dessous de bouteille, sel et poivre et autres condiments...

Une fois prête, versez votre vinaigrette dans un pot hermétique (pot à confiture ou à moutarde, bouteille ou Tupperware) puis, placez-la au réfrigérateur jusqu'à utilisation. Juste avant de servir, secouez-la énergiquement avant de la verser sur votre salade. Sachez qu'elle se conserve sans problème une à deux semaines au réfrigérateur.

TOUT POUR ÉPATER VOS COPAINS

LE CONDIMENT QUI ÉPATE : LA MOUTARDE PARFUMÉE

En matière de moutardes, la palette est large. On en trouve désormais pour tous les goûts. À noter : celle au pain d'épice (à tester avec un magret de canard), au cassis (une saveur originale pour accompagner les crudités) ou encore aux tomates séchées-piment (un must avec les viandes blanches et les poissons grillés).

⋯⋯▷ **Où les trouver ?**
Dans les épiceries fines et les supermarchés.

L'ACCOMPAGNEMENT IDÉAL POUR TOUS VOS PLATS : LA PURÉE MAISON

Épluchez **1,2 kg de pommes de terre**. Dans une casserole d'eau bouillante salée, faites-les cuire 20 min environ. Dans une autre casserole, portez à ébullition **20 cl de lait**. Pendant ce temps, égouttez les pommes de terre et passez-les au presse-purée au-dessus d'une casserole contenant **130 g de beurre**. Faites chauffer à feu doux en mélangeant énergiquement à l'aide d'un fouet. Versez progressivement le lait bouillant jusqu'à obtention d'une consistance onctueuse. **Salez** et **poivrez**. Servez illico presto avec du gruyère rapé en option.

ET SI JE N'AI PAS ENVIE DE PURÉE, JE FAIS QUOI ?

Un gratin dauphinois (voir p. 184), un risotto aux artichauts, parmesan et jambon de Parme (voir p. 112), des pâtes au basilic (voir p. 92), un gratin de pommes de terre, pleurotes et cheddar (voir p. 130).

LE FROMAGE QUI ÉPATE : LA TÊTE DE MOINE

Cette spécialité suisse au lait cru révèle une texture fondante et un goût corsé. Mais là où ce fromage en met vraiment plein la vue, c'est qu'il se déguste non pas en morceaux mais en rosettes. Idéal pour accompagner un verre de vin blanc à l'apéro. On peut aussi relever sa saveur avec un peu de paprika ou de cumin.

⋯⋯▷ **Où le trouver ?** En vente, entier ou prédécoupé en rosettes, chez tous les bons fromagers ou dans certains supermarchés.

LES PETITS GÂTEAUX QUI ÉPATENT : LES « FORTUNE COOKIES »

Pour accompagner le café, troquez le traditionnel carré de chocolat contre ces petits gâteaux originaux servis dans certains restaurants chinois. Le principe est simple : lorsque vous cassez le gâteau en deux, vous tombez sur un message (citation ou conseil de vie). Rien de tel pour mettre de l'ambiance à la fin d'un dîner.

⋯⋯▷ **Où les trouver ?** Sur Internet, dans les épiceries asiatiques ou dans certains supermarchés.

L'enjeu d'un dîner en tête-à-tête : mettre les petits plats dans les grands sans se mettre la pression, et le tout ni vu ni connu. Voici les deux « golden rules » pour un sans-faute.

1. Prévoyez toujours une solution de rechange au cas où vous rateriez une recette : trois ou quatre fromages et une bonne bouteille de vin rouge pour transformer un dîner flop en soirée « cheese and wine » (voir p. 196). Et pour sauver un dessert brûlé, ayez toujours sous la main un pot de glace et des petits gâteaux.

2. Lancez-vous, si possible, dans des recettes que vous avez déjà testées auparavant ou que vous maîtrisez parfaitement pour éviter les stress de dernière minute.

DÎNERS EN TÊTE-À-TÊTE

LES BONNES OCCASES POUR LANCER UNE INVITATION EN TÊTE-À-TÊTE

····⟩ **Son anniversaire**. Sa fête. Votre date de rencontre.

····⟩ **La Saint-Valentin (14 février)**, même si cette fête est parfois jugée trop commerciale, passer à côté est toujours un peu délicat !

····⟩ **Et si vous êtes très motivé(e)** : La Saint-Amour (9 août) et la Journée de la Femme (8 mars).

COQUILLES SAINT-JACQUES À LA CRÈME

PRÉPARATION 15 MINUTES

Pour **2 personnes** | Coût : **E** **E** | Difficulté : ⭐ | Cuisson : **8 min**

LISTE DES INGRÉDIENTS

┈┈> 8 noix de coquilles Saint-Jacques
  2 oignons
  1 gousse d'ail
  5 brins de persil plat
  3 cuil. à soupe d'huile d'olive

  20 cl de cidre
  20 cl de crème fraîche
  1 cuil. à café de jus de citron
  1 pincée de piment d'Espelette
  sel et poivre blanc

1 Nettoyez les noix de Saint-Jacques : pour cela, retirez le corail s'il y en a (la partie orange et grise) et mettez-le de côté, puis ôtez la veine noire qui entoure la chair. Passez les noix de Saint-Jacques à l'eau claire et séchez-les délicatement en les déposant sur du papier absorbant. Découpez chaque noix en deux dans le sens de la longueur. Épluchez et coupez finement les oignons. Épluchez et écrasez la gousse d'ail au presse-ail (après avoir ôté le germe s'il y en a un). Lavez et coupez finement le persil plat.

2 Dans une sauteuse ou une grande poêle, faites chauffer l'huile. Ajoutez les oignons et l'ail et faites-les revenir 3 à 4 min environ. Versez le cidre et laissez-le réduire de moitié en mélangeant régulièrement. Ajoutez la crème fraîche et laissez cuire à feu doux jusqu'à obtention d'une sauce lisse et onctueuse. Remuez bien. Ajoutez le sel, le poivre, le jus de citron et le piment. Puis déposez les noix de Saint-Jacques et laissez cuire à feu doux et à couvert 2 min environ.

3 Ajoutez le persil plat, et le corail le cas échéant, et faites cuire le tout quelques secondes. Servez illico presto accompagné de riz basmati ou de tagliatelles fraîches.

LE COUP DE POUCE

┈┈> Vous pouvez remplacer le cidre par un verre de vin blanc sec.

LE PETIT + DE CYRIL

Sachez que le poivre blanc se marie à merveille avec les poissons et les fruits de mer. À défaut, vous pouvez le remplacer par du poivre noir moulu.

CURRY EXPRESS D'AGNEAU AU GINGEMBRE

Pour **2 personnes** | Coût : 💶💶 | Difficulté : ⭐ | Cuisson : **15 min**

LISTE DES INGRÉDIENTS

- 300 g d'épaule d'agneau désossée et coupée en dés
- 1 tronçon de gingembre de 2 cm
- 3 pincées de cumin en poudre
- 2 pincées de piment d'Espelette
- 1 oignon
- 1 échalote
- 1 gousse d'ail
- 2 belles carottes
- 1 tomate
- 1 cuil. à soupe de curry en poudre
- 1 petite poignée de raisins secs
- 2 cuil. à soupe d'huile d'olive pour la sauteuse
- sel et poivre

1 Épluchez le gingembre et râpez-le. Dans un saladier, déposez les dés d'agneau avec le cumin, le gingembre râpé et le piment. Salez et poivrez. Laissez reposer quelques instants.

2 Pendant ce temps, épluchez et coupez finement l'oignon et l'échalote. Épluchez l'ail (et ôtez le germe s'il y en a un) ; écrasez-le au presse-ail. Épluchez les carottes et râpez-les finement à l'aide d'un robot ou d'une râpe. Lavez la tomate, coupez-la en deux, ôtez les pépins puis coupez-la en petits dés.

3 Dans une sauteuse ou une grande poêle, faites chauffer l'huile à feu moyen. Ajoutez l'échalote, l'oignon, l'ail et le curry et faites revenir le tout 5 min environ en remuant régulièrement. Ajoutez les dés d'agneau et laissez cuire 5 min à nouveau. Puis ajoutez les carottes râpées, la tomate, les raisins secs et 3 cuil. à soupe d'eau. Couvrez et laissez cuire à feu doux pendant 15 min. Mélangez régulièrement et rajoutez un peu d'eau si ça accroche. Servez illico presto avec du riz basmati parsemé de noix de cajou.

LE COUP DE POUCE

- Pour râper le gingembre, enlevez la peau beige avec un couteau puis râpez-le sur les gros trous d'une râpe.

LE PETIT + DE CYRIL

Vous pouvez rajouter des cacahuètes pilées (1 petite poignée) sur le dessus juste avant de servir.

GRATIN DE POMMES DE TERRE, PLEUROTES ET CHEDDAR

Pour **2 personnes** | Coût : **€ €** | Difficulté : **★ ★** | Cuisson : **30 min**

LISTE DES INGRÉDIENTS

····⟩ 500 g de pommes de terre
200 g de pleurotes
2 belles tranches de jambon fumé
60 g de cheddar
2 œufs
10 cl de lait

25 cl de crème fraîche
1 grosse noisette de beurre pour la poêle
1 noisette de beurre pour le plat à gratin
sel et poivre

MATÉRIEL NÉCESSAIRE

····⟩ 1 plat à gratin

1 Préchauffez le four à 210 °C (th. 7). Épluchez les pommes de terre et coupez-les en très fines rondelles. Lavez et séchez délicatement les pleurotes en les posant sur du papier absorbant. Coupez-les en tout petits morceaux. Coupez le jambon en lamelles. Dans une poêle, faites chauffer le beurre. Ajoutez les pleurotes et les lamelles de jambon. Faites-les revenir 2 à 3 min en remuant.

2 Râpez le cheddar. Séparez les blancs des jaunes d'œufs ; ne conservez que les jaunes. Dans un saladier, mélangez le lait, la crème fraîche, le cheddar et les jaunes d'œufs. Salez et poivrez.

3 Dans un plat à gratin beurré, déposez, en couches successives, pommes de terre et pleurotes. Nappez le tout avec la crème aux œufs. Mettez au four 25 à 30 min jusqu'à ce que les pommes de terre soient tendres. Si votre gratin a tendance à dorer trop vite, couvrez-le d'aluminium et baissez la température à 180 °C (th. 6).

LES COUPS DE POUCE

····⟩ On vous conseille ce gratin pour les tête-à-tête des soirs d'hiver ; les proportions sont certes bien copieuses, mais comme c'est un plat unique, ça fera grand effet !

····⟩ Contrôlez la cuisson en piquant une fourchette dans les pommes de terre qui doivent être tendres et souvenez-vous que le temps de cuisson dépend de l'épaisseur des tranches de pommes de terre.

LE PETIT + DE CYRIL

Choisissez des pommes de terre adaptées aux gratins : charlotte, roseval ou ratte.

L'INRATABLE PAVÉ DE SAUMON GRILLÉ

PRÉPARATION 10 MINUTES

Pour **2 personnes** | Coût : **€€** | Difficulté : ⭐ | Cuisson : **10 min**

LISTE DES INGRÉDIENTS

···⟩ **Pour le poisson :**
2 pavés de saumon avec la peau
1 cuil. à soupe d'huile d'olive
sel et poivre

···⟩ **Pour la sauce :**
1/3 de concombre
1 yaourt blanc
1 cuil. à soupe de mayonnaise
2 cuil. à soupe d'aneth ciselée surgelée

1 Rincez le poisson et ôtez les arêtes s'il y en a. Salez côté chair. Dans une poêle antiadhésive, faites chauffer l'huile. Ajoutez les pavés de saumon côté peau contre le fond. Laissez cuire 3 min à feu vif pour saisir le poisson puis baissez le feu et laissez cuire 7 à 8 min environ.

2 Pendant ce temps, épluchez le concombre à l'aide d'un économe ou d'un couteau et coupez-le en petits dés. Dans un bol, mélangez bien le yaourt avec la mayonnaise, l'aneth et les dés de concombre. Salez et poivrez. Une fois la cuisson terminée, déposez chaque pavé dans une assiette accompagné d'un ramequin de sauce au yaourt. Servez illico presto.

POUR ALLER PLUS VITE

···⟩ Remplacez la sauce par du tzatziki tout prêt vendu au rayon frais des supermarchés.

LE PETIT + DE CYRIL

Au top avec des haricots verts pour une version light et des tagliatelles ou des pommes au four avec 1 noisette de beurre salé pour un côté plus gourmand.

ŒUFS COCOTTE
AU FOIE GRAS

PRÉPARATION 5 MINUTES

Pour **2 personnes** | Coût : 💶💶 | Difficulté : ⭐ | Cuisson : **15 min**

LISTE DES INGRÉDIENTS
---> 4 œufs
  2 grosses cuil. à soupe
  de crème fraîche épaisse
  1 tranche de foie gras
  fleur de sel et poivre du moulin

MATÉRIEL NÉCESSAIRE
---> 2 ramequins

1 Préchauffez le four à 210 °C (th. 7). Cassez 2 œufs par ramequin et ajoutez sur le dessus 1 belle cuil. à soupe de crème fraîche. Salez et poivrez. Mettez au four 15 min environ.

2 Juste avant la fin de la cuisson, coupez le foie gras en morceaux. Déposez 4 à 5 morceaux de foie gras sur chaque œuf cocotte avant de servir.

LE COUP DE POUCE
---> Pour une version plus économique, remplacez le foie gras par 1 cuil. à soupe de ciboulette et quelques pincées de parmesan râpé.

LE PETIT + DE CYRIL

Si vous servez vos œufs cocotte en plat, accompagnez-les d'une salade de haricots verts croquants et de petites mouillettes de pain brioché.

SALADE THAÏE AUX CHEVEUX D'ANGE ET AUX CREVETTES

Pour **2 personnes** | Coût : | Difficulté : ★

LISTE DES INGRÉDIENTS

⟶ **Pour la salade :**
100 g de vermicelles de soja (cheveux d'ange)
1 courgette
2 carottes
1 petite poignée de soja
150 g de crevettes cuites décortiquées
6 feuilles de menthe pour la déco

⟶ **Pour la sauce :**
1 tronçon de gingembre de 2 cm
1 cuil. à soupe de sauce soja
2 cuil. à soupe d'huile d'olive
le jus de 1/2 citron vert
1 pointe de raifort (wasabi)
2 branches de coriandre

MATÉRIEL NÉCESSAIRE
⟶ 1 râpe

1 Faites chauffer une grande casserole d'eau. Dès qu'elle bout, ajoutez les vermicelles hors du feu et laissez-les tremper 5 min. Égouttez-les et rincez-les sous l'eau froide. Égouttez à nouveau.

2 Lavez et coupez les extrémités de la courgette ; râpez-la sans l'éplucher. Épluchez et râpez les carottes. Rincez le soja et les crevettes et séchez-les en les déposant sur du papier absorbant. Lavez et coupez finement la coriandre et les feuilles de menthe.

3 Pour la sauce, pelez et râpez le gingembre. Dans un saladier, ajoutez la sauce soja, l'huile d'olive, le jus de citron et le wasabi. Mélangez bien. Ajoutez la coriandre et le gingembre, les vermicelles, les courgettes, les carottes, le soja et les crevettes. Mélangez à nouveau. Parsemez de menthe juste avant de servir.

LE COUP DE POUCE
⟶ Pour râper le gingembre, enlevez la peau beige avec un couteau puis râpez-le sur les gros trous d'une râpe.

LE PETIT + DE CYRIL
Pour un dîner 100% asiatique, proposez en entrée des bouchées de crevettes à la vapeur et des nems. Côté dessert, servez quelques litchis frais posés sur 1 boule de glace au litchi.

TARTARE DE SAUMON

PRÉPARATION 15 MINUTES

Pour **2 personnes** | Coût : 💶💶 | Difficulté : ⭐

LISTE DES INGRÉDIENTS

- 75 g de saumon fumé
- 200 g de saumon frais sans arête
- 1/2 shot de vodka (facultatif)
- 3 cornichons
- 1 échalote
- 2 cuil. à soupe de mayonnaise
- 1 cuil. à soupe de câpres
- 1 cuil. à soupe d'aneth ciselé surgelé
- fleur de sel et poivre du moulin

Pour servir :
- 2 poignées de mâche
- 1 filet d'huile d'olive

1 Coupez finement la chair des saumons à l'aide d'un couteau bien aiguisé. Ajoutez la vodka. Mélangez bien. Coupez les cornichons en tout petits morceaux. Épluchez et hachez finement l'échalote.

2 Dans un saladier, mélangez la mayonnaise, les câpres, l'aneth, l'échalote, les cornichons et les deux saumons. Salez et poivrez. Formez 2 tartares. Répartissez-les dans 2 assiettes et servez illico presto sur un lit de mâche assaisonnée d'un filet d'huile d'olive.

LE COUP DE POUCE

- Si vous n'avez pas de vodka, remplacez-la par le jus de 1 citron vert.

LE PETIT + DE CYRIL

Pour varier les plaisirs, pensez à varier les salades : roquette, cresson, pousses d'épinard...

MOELLEUX AU CŒUR COULANT

Pour **2 personnes** | Coût : **E** | Difficulté : ⭐ | Cuisson : **10 min environ**

LISTE DES INGRÉDIENTS

····⟩ 1 œuf

25 g de sucre en poudre
15 g de farine
50 g de beurre
50 g de chocolat noir
1 noisette de beurre pour les ramequins

MATÉRIEL NÉCESSAIRE

····⟩ 2 ramequins

1 Préchauffez le four à 200 °C (th. 6-7). Dans un saladier, mélangez, à l'aide d'un fouet ou d'une fourchette, l'œuf entier avec le sucre jusqu'à ce que la préparation blanchisse. Ajoutez la farine. Mélangez à nouveau.

2 Dans une casserole, faites fondre, à feu doux, le beurre avec le chocolat cassé en morceaux. Hors du feu, versez le contenu du saladier dans la casserole. Puis, répartissez la pâte dans les ramequins beurrés. Mettez au four 10 à 12 min environ. Démoulez délicatement à la sortie du four.

LES COUPS DE POUCE

····⟩ La clé de la réussite ? Tout se joue au moment de la cuisson, à 1 min près. Pour évaluer la cuisson à vue d'œil, vérifiez que les bords sont bien cuits mais que le cœur reste coulant.

····⟩ Pensez à accompagner vos moelleux d'un coulis de fruits rouges, de quelques lamelles de poire posées sur le bord de l'assiette ou d'un filet de crème anglaise.

LE PETIT + DE CYRIL

Il suffit d'ajouter, en fin de préparation, 1 carré de chocolat blanc au centre de chaque ramequin avant d'enfourner.

PETITS CRUMBLES APHRODISIAQUES

PRÉPARATION 15 MINUTES

Pour **2 personnes** | Coût : 💶💶 | Difficulté : ★★ | Cuisson : **30 min**

LISTE DES INGRÉDIENTS

⟶ **Pour les fruits :**
 1 mangue mûre
 1 fruit de la passion
 2 pincées de gingembre en poudre

⟶ **Pour la pâte :**
 40 g de beurre
 75 g de farine
 40 g de sucre roux

⟶ **Pour accompagner :**
 2 boules de glace au gingembre

MATÉRIEL NÉCESSAIRE
⟶ 2 ramequins

1 Préchauffez le four à 210 °C (th. 7). Épluchez la mangue. Pour cela, il suffit de la couper en deux, d'ôter le noyau et de récupérer la chair ; déposez-la dans le fond des ramequins. Coupez le fruit de la passion en deux et prélevez les graines et le jus à l'aide d'une petite cuiller. Ajoutez-les sur les mangues. Saupoudrez le tout avec le gingembre en poudre.

2 Pour la pâte à crumble, coupez le beurre en morceaux et faites-le ramollir au micro-ondes. Dans un saladier, mélangez bien la farine avec le sucre roux. Puis ajoutez le beurre ramolli. Malaxez la préparation avec les mains puis émiettez-la du bout des doigts pour lui donner une consistance sableuse (comme une grosse semoule).

3 Ajoutez-la sur les fruits en une couche régulière. Enfournez 30 min environ. Servez ces mini-crumbles chauds accompagnés de 1 boule de glace au gingembre au centre de chaque ramequin. À déguster les yeux dans les yeux !

LES COUPS DE POUCE
⟶ Si vous ne trouvez pas de glace au gingembre, remplacez-la par de la glace à la noix de coco ou tout simplement à la vanille.
⟶ Pour une pâte à crumble qui change, rajoutez 2 cuil. à soupe de noix de coco râpée.

LE PETIT + DE CYRIL
Si votre mangue n'est pas suffisamment mûre, coupez-la en lamelles puis faites-la cuire dans une poêle à feu doux avec 1 grosse noisette de beurre et 2 cuil. à soupe de sucre en poudre jusqu'à ce qu'elle devienne tendre (4 à 5 min environ).

SALADE TIÈDE DE FRUITS ROUGES AU MIEL

PRÉPARATION 5 MINUTES

Pour **2 personnes** | Coût : Ⓔ Ⓔ | Difficulté : ★ | Cuisson : **15 min**

LISTE DES INGRÉDIENTS

- 350 g de fruits rouges et noirs mélangés surgelés
- 6 cuil. à soupe de miel liquide
- 1 cuil. à soupe de jus de citron
- 2 boules de glace à la vanille

1 Dans une poêle antiadhésive, faites chauffer, à feu doux, le miel et le jus de citron. Ajoutez les fruits encore surgelés et mélangez délicatement pour ne pas les écraser. Laissez cuire 12 à 15 min à feu doux jusqu'à ce que les fruits soient bien décongelés.

2 Répartissez les fruits dans des bols et nappez-les de sauce au miel. Posez 1 boule de glace à la vanille au centre de chaque bol. Dégustez illico presto.

LES COUPS DE POUCE

- Si vous trouvez les fruits trop acides, saupoudrez-les d'un peu de sucre en poudre.
- Vous pouvez aussi servir cette salade de fruits dans des verres transparents, des coupes à dessert ou des assiettes creuses.

LE PETIT + DE CYRIL

Pour mettre du piment dans votre couple, rajoutez 1 petite cuil. à café de gingembre en poudre dans la sauce au miel...

TARTELETTES EXPRESS AUX POIRES

Pour **2 personnes** │ Coût : 🇪🇪 │ Difficulté : ⭐⭐ │ Cuisson : **12 min**

LISTE DES INGRÉDIENTS

---▷ 2 poires
2 feuilles de brick
1 belle noisette de beurre
2 cuil. à soupe de sucre roux
2 cuil. à soupe de poudre de noisettes
6 cuil. à soupe de lait concentré sucré
2 anis étoilés (badiane)

1 Préchauffez le four à 210 °C (th. 7). Détachez délicatement les feuilles de brick. Pliez chacune d'entre elles en deux pour former une demi-lune puis à nouveau en deux pour obtenir un quart de lune. Réservez ces petits fonds de tarte sur la plaque du four recouverte de papier sulfurisé.

2 Faites fondre le beurre au micro-ondes et badigeonnez chaque fond de tarte de beurre fondu, à l'aide d'un pinceau alimentaire (ou avec les doigts). Saupoudrez de sucre roux, puis de poudre de noisettes. Épluchez les poires et coupez-les en fines lamelles. Ajoutez-les en rosace sur chaque feuille de brick beurrée. Mettez au four 12 min environ.

3 Pendant ce temps, faites chauffer à feu doux, dans une casserole, le lait concentré sucré et 5 cuil. à soupe d'eau. Ajoutez les anis étoilés. Hors du feu, laissez infuser 3 min environ. À la sortie du four, nappez vos tartelettes de sauce et ajoutez 1 anis étoilé sur chacune d'entre elles. Servez illico presto.

LE COUP DE POUCE

---▷ Si vous n'avez pas de papier sulfurisé, utilisez de l'aluminium et badigeonnez-le de beurre fondu pour éviter que les tartelettes n'accrochent.

LE PETIT + DE CYRIL

Vous pouvez remplacer l'anis étoilé par 1 gousse de vanille fendue en deux dans le sens de la longueur ou par 3 pincées de cannelle en poudre.

LA CUISINE APHRODISIAQUE

METTEZ TOUS LES ATOUTS DE VOTRE CÔTÉ

OPTEZ POUR UN ÉCLAIRAGE ROMANTIQUE

Bougies, photophores ou lampes créeront une atmosphère cosy. Bannissez les lumières crues et directes qui cassent l'ambiance. Du côté des bougies parfumées, choisissez des senteurs envoûtantes comme l'ambre, le jasmin ou la rose.

PRÉVOYEZ UN DÎNER LÉGER

Une soirée tartiflette risquerait de vous plomber l'estomac et de vous faire tomber dans les bras de Morphée plutôt que dans ceux de votre conquête. Alors abandonnez tous les plats trop lourds ou trop gras.

TOUT POUR DES CARESSES AU TOP

En cuisinant certains aliments, vos mains peuvent s'imprégner de leur parfum. Pour se débarrasser des odeurs les plus tenaces (ail, oignon et poisson), lavez-vous les mains avec un peu de vinaigre ou de jus de citron. Ultime solution : frottez-vous les mains avec une pomme de terre crue coupée en deux. Un remède de grand-mère, mais qui fait toujours ses preuves !

LA PETITE BOUCHÉE À CROQUER AU MILIEU DE LA NUIT

Pour un petit encas aphrodisiaque, prévoyez du gingembre confit. Non seulement c'est délicieux, mais ça vous redonnera un petit coup de fouet en cas de baisse de régime.

PRIVILÉGIEZ LES COULEURS ÉROTISANTES

Certaines couleurs dopent la libido : le rouge évidemment, mais aussi le violet et le rose. Plus la teinte est vive, plus elle aura de l'effet. Idéal pour booster votre libido.

POUR PIMENTER LES JOURNÉES À DEUX

⸪ DES MATINS CÂLINS
CAFÉ À LA CANNELLE

Dans votre café chaud, faites infuser 1 bâton de cannelle pendant 3 min environ. De quoi échauffer vos sens !

THÉ À LA CARDAMOME

Ajoutez 2 ou 3 graines de cardamome dans chaque tasse de thé et laissez-les infuser quelques minutes. Idéal pour pimenter sa matinée !

⸪ DES APÉROS COQUINS

Cassez les codes en proposant à votre moitié un apéro dans un bain. Vous l'y attendrez avec 2 coupes de champagne et des petits toasts de foie gras. Si les serviettes sont chaudes à la sortie du bain, c'est encore mieux. Et pour que cet apéro soit au top du romantisme, parsemez l'eau de pétales de rose...

RECETTES DE COCKTAILS APHRODISIAQUES

SANS ALCOOL, POUR 2 AMANTS

Récupérez la chair de **1/2 pastèque** et enlevez les pépins. Épluchez **1 banane** et coupez-la en quatre. Passez au mixeur la pastèque jusqu'à obtention d'une préparation veloutée. Ajoutez successivement **4 glaçons, un filet de miel liquide, 1 yaourt nature**, la banane, **2 pincées de gingembre en poudre** et **quelques pincées de sucre vanillé**. Mixez à nouveau. Répartissez ce cocktail dans les verres et dégustez-le illico presto.

·····⟩ **Bon à savoir**

Banane, gingembre et miel sont réputés comme étant aphrodisiaques depuis la nuit des temps. Et quand on sait en plus que la banane est truffée de potassium qui lutte contre les crampes pendant un effort prolongé, ce serait dommage de s'en priver !

AVEC ALCOOL, POUR 2 AMANTS

Mélangez **10 cl de vodka** avec **20 cl de jus de pomme**. Ajoutez **4 pincées de piment de Cayenne** et **8 glaçons**. Mélangez bien et répartissez le cocktail dans les verres.

·····⟩ **Bon à savoir**

On vous chuchotte juste que le piment de Cayenne est aussi surnommé « le piment enragé ». Affaire à suivre !

Les règles d'or pour recevoir parents, beaux-parents, famille, boss et collègues sans fausse note. Misez sur des produits de bonne qualité... Retenez en effet qu'il n'y a pas de bonne cuisine sans bons produits. Alors, pour ce type de dîners, n'hésitez pas à casser votre tirelire en vous approvisionnant chez de bons artisans.

DÎNERS OÙ IL NE FAUT PAS SE LOUPER

LES BONS TUYAUX

·····⟩ **Pour éviter de passer votre temps en cuisine,** tablez sur des recettes à réchauffer à la dernière minute comme les crumbles ou des desserts à préparer la veille (mousse au chocolat ou tiramisu, voir recettes pp. 52-54) pour éradiquer tout vent de panique au moment où les invités arrivent.

·····⟩ **Optez pour l'originalité** plutôt que pour le compliqué : choisissez des recettes qui interpellent comme un crumble salé (voir p. 158) ou un plat venu d'ailleurs comme un tajine (voir p. 162).

·····⟩ **Mieux vaut trop que pas assez...** Du côté des quantités, ne lésinez pas. Au pire, s'il y a des restes, vous pourrez toujours les congeler ou les recycler avec de bons copains le lendemain.

CALMARS SAUTÉS

Pour **4 personnes** | Coût : **E** | Difficulté : ⭐⭐ | Cuisson : **20 min**

LISTE DES INGRÉDIENTS

- 500 g de blancs de calmars
- 3 oignons
- 2 gousses d'ail
- 2 poivrons rouges
- 1 poivron vert
- 1 poivron jaune
- 1 grosse boîte de tomates pelées (450 g environ)
- 1/2 bouquet de persil plat
- 1 poignée d'olives noires dénoyautées
- 2 cuil. à soupe d'huile d'olive pour la sauteuse
- sel et poivre

1 Épluchez les oignons et coupez-les finement. Épluchez les gousses d'ail et ôtez le germe s'il y en a un. Écrasez-les à l'aide d'un presse-ail. Lavez les poivrons, coupez-les en lamelles et ôtez les pépins. Rincez et séchez les calmars en les déposant sur du papier absorbant, puis coupez-les en petits anneaux. Égouttez les tomates pelées et coupez-les grossièrement en morceaux. Lavez et coupez finement le persil plat.

2 Dans une sauteuse, faites chauffer l'huile à feu moyen. Ajoutez les oignons et les poivrons et laissez-les revenir 5 à 7 min. Pendant ce temps, coupez les olives noires en tout petits morceaux. Puis, ajoutez les calmars dans la poêle et faites revenir le tout 5 min à nouveau. Ajoutez les tomates, l'ail, les olives et le persil plat. Salez et poivrez. Mettez le couvercle sur la sauteuse en laissant un espace pour que l'air passe et faites cuire 10 min à nouveau. Servez illico presto.

POUR ALLER PLUS VITE

Utilisez un mélange de poivrons (rouges, jaunes et verts) surgelés, déjà coupés.

LE COUP DE POUCE

Vous pouvez préparer cette recette au wok.

LE PETIT + DE CYRIL

Pour un petit plus visuel, utilisez un mix d'olives noires et d'olives vertes. Accompagnez ces calmars sautés de riz pilaf ou de riz sauvage.

CANARD ÉPICÉ
AU LAIT DE COCO

Pour **4 personnes** | Coût : | Difficulté : ⭐ | Cuisson : **15 min**

LISTE DES INGRÉDIENTS

- 4 steaks de canard (600 g environ)
- 1/2 bouquet de basilic
- 3 poivrons rouges
- 1 poivron vert
- 2 cuil. à soupe de pâte de curry rouge
- 20 cl de lait de coco
- 2 cuil. à soupe de sauce soja
- 2 pincées de piment d'Espelette (facultatif)
- 250 g de nouilles japonaises
- 2 cuil. à soupe d'huile d'olive pour la sauteuse
- sel

1 Coupez le canard en fines lamelles. Lavez le basilic et détachez les feuilles. Lavez les poivrons, coupez-les en lamelles puis ôtez-en les pépins. Dans une sauteuse, faites chauffer l'huile. Ajoutez la pâte de curry et mélangez bien pendant 1 min jusqu'à ce qu'elle soit bien diluée. Versez le lait de coco en continuant de remuer.

2 Ajoutez le canard et faites-le cuire 4 min. Mélangez régulièrement. Ajoutez ensuite les poivrons, la sauce soja et les feuilles de basilic entières. Salez et pimentez. Puis, faites cuire 2 à 3 min à nouveau en mélangeant.

3 Au même moment, dans une grande casserole d'eau bouillante salée, plongez les nouilles et faites-les cuire 5 min environ. Une fois cuites, égouttez-les bien et déposez-les dans un plat creux. Ajoutez le canard et nappez le tout de sauce. Servez illico presto.

POUR ALLER PLUS VITE

- Utilisez des aiguillettes de canard déjà découpées.

LE PETIT + DE CYRIL

Si vous n'avez pas de pâte de curry rouge, remplacez-la par du curry en poudre.

CREVETTES SAUTÉES AU CURRY

PRÉPARATION 15 MINUTES

Pour **4 personnes** | Coût : **€** | Difficulté : ★ | Cuisson : **10 min**

LISTE DES INGRÉDIENTS

---> **Pour les crevettes :**
24 crevettes roses décortiquées
1 gousse d'ail
3 cuil. à soupe d'huile d'olive
2 verres de riz cru
sel et poivre

---> **Pour la sauce :**
3 cuil. à soupe d'huile d'olive
1 cuil. à soupe de sauce soja
1 cuil. à soupe de vinaigre balsamique
1 cuil. à café de cumin en poudre
1 cuil. à café de curry en poudre
8 brins de coriandre pour servir

1 Pour la marinade, épluchez la gousse d'ail (ôtez le germe s'il y en a un) et écrasez-la à l'aide d'un presse-ail. Dans une assiette creuse, mélangez l'huile d'olive et l'ail écrasé. Salez et poivrez. Ajoutez les crevettes et laissez-les mariner quelques instants. Dans une casserole d'eau bouillante salée, faites cuire le riz comme indiqué sur le paquet.

2 Pendant ce temps, préparez la sauce : dans un bol, mélangez l'huile d'olive, la sauce soja, le vinaigre balsamique, le cumin et le curry. Lavez et coupez finement la coriandre.

3 Dans une poêle antiadhésive, faites sauter les crevettes 3 min de chaque côté. Répartissez le riz dans 4 bols puis ajoutez par-dessus les crevettes. Parsemez le tout de coriandre ciselée et servez illico presto accompagné d'un ramequin de sauce.

POUR ALLER PLUS VITE
---> Utilisez du riz à cuisson rapide (prêt en 2 min).

LE COUP DE POUCE
---> Pensez à accompagner chaque bol de 1 petit quartier de citron vert ou jaune.

LE PETIT + DE CYRIL

Vous pouvez utiliser des crevettes surgelées. Dans ce cas, faites-les décongeler comme indiqué sur le paquet avant utilisation.

CRUMBLE DE TOMATES AU CHÈVRE FRAIS

Pour **4 à 6 personnes** | Coût : **€€** | Difficulté : **★★★** | Cuisson : **25 min**

LISTE DES INGRÉDIENTS

----> **Pour la pâte à crumble :**
- 75 g de beurre
- 75 g de parmesan
- 75 g de farine
- 3 cuil. à soupe de chapelure
- 1 cuil. à soupe de thym (facultatif)

----> **Pour la garniture :**
- 9 tomates moyennes
- 3 cuil. à soupe d'ail surgelé
- 5 cuil. à soupe d'échalote surgelé
- 75 g de chèvre frais (type Chavroux)
- 3 cuil. à soupe de basilic ciselé surgelé
- 2 pincées de sucre
- 2 crottins de Chavignol
- 2 cuil. à soupe d'huile d'olive pour la sauteuse
- 1 noisette de beurre pour le moule
- sel et poivre

1 Beurrez un moule. Dans une casserole d'eau bouillante, plongez les tomates 30 sec environ. Lorsque leur peau commence à se décoller, ressortez-les une à une à l'aide d'une écumoire ou d'une louche. Pelez-les et coupez-les en morceaux.

2 Dans une sauteuse ou une grande poêle, faites chauffer l'huile. Ajoutez l'ail, l'échalote, les tomates, le chèvre frais, le basilic et le sucre. Salez et poivrez. Laissez cuire 8 min environ en remuant régulièrement. Puis, répartissez cette préparation dans le fond du moule. Ôtez la croûte et coupez les crottins de chèvre en morceaux. Ajoutez-les sur le lit de tomates.

3 Préchauffez le four à 210 °C (th. 7). Pour la pâte à crumble, faites ramollir le beurre au micro-ondes. Râpez grossièrement le parmesan. Dans un saladier, mélangez la farine avec la chapelure, le parmesan râpé, le beurre ramolli et le thym.

4 Malaxez la préparation avec les mains puis émiettez-la du bout des doigts pour lui donner une consistance sableuse (comme une grosse semoule). Ajoutez-la sur les tomates au chèvre en une couche régulière. Mettez au four 25 min environ. Servez illico presto.

POUR ALLER PLUS VITE
----> Remplacez le parmesan en bloc par du parmesan râpé.

LE PETIT + DE CYRIL

Rajoutez quelques olives noires ou vertes coupées en tout petits morceaux entre les tomates et la pâte : un régal !

POULET AUX PISTACHES ET AUX RAISINS SECS

Pour **6 personnes** │ Coût : **€ €** │ Difficulté : **★ ★** │ Cuisson : **30 min**

LISTE DES INGRÉDIENTS

- 6 cuisses de poulet
- 1 bocal de cœurs d'artichauts (500 g environ)
- 2 échalotes
- 1 gousse d'ail
- 1 cube de bouillon de volaille
- 3 cuil. à soupe d'huile d'olive
- 200 g de pruneaux
- 50 g de pistaches décortiquées
- 50 g de raisins secs
- 2 brins de coriandre
- sel et poivre

1 Égouttez les artichauts et rincez-les. Épluchez les échalotes et coupez-les finement. Épluchez la gousse d'ail et ôtez le germe s'il y en a un. Écrasez-la à l'aide d'un presse-ail. Faites chauffer 20 cl d'eau dans une casserole. Quand elle bout, ajoutez le cube de bouillon et mélangez jusqu'à ce qu'il soit bien dissous.

2 Dans une sauteuse, faites chauffer 2 cuil. à soupe d'huile à feu moyen. Ajoutez les échalotes et l'ail et faites-les revenir 2 min environ en remuant régulièrement. Ajoutez le poulet et faites-le dorer sur toutes les faces (5 min environ). Versez le bouillon et laissez cuire 20 min à feu doux en mélangeant bien.

3 Puis ajoutez les artichauts, les pruneaux et 1 cuil. à soupe d'huile d'olive. Poivrez et laissez cuire 5 min à nouveau. Dans un plat, disposez les pruneaux et les artichauts. Ajoutez par-dessus les cuisses de poulet. Parsemez le tout de pistaches, de raisins secs et de coriandre coupée finement. Servez illico presto avec de la semoule.

POUR ALLER PLUS VITE

- Faites chauffer l'eau à la bouilloire pour préparer votre bouillon.

LE PETIT + DE CYRIL

Vous pouvez remplacer la coriandre par du basilic et les cuisses de poulet par des blancs de poulet.

TAJINE D'AGNEAU AUX PRUNEAUX ET AUX AMANDES

Pour **4 personnes** | Coût : **€ €** | Difficulté : ⭐ | Cuisson : **1 h 20**

LISTE DES INGRÉDIENTS

- 1 kg d'épaule d'agneau désossée en morceaux
- 1 oignon
- 3 pincées de gingembre en poudre
- 1/2 cuil. à café de ras-el-hanout
- 400 g de pruneaux
- 3 cuil. à soupe de miel liquide
- 1 cuil. à café de cannelle en poudre
- 200 g d'amandes sans la peau
- 1 poignée de pignons de pin
- 2 cuil. à soupe d'huile d'olive pour la cocotte
- sel et poivre

1 Dans une cocotte, faites chauffer l'huile. Ajoutez la viande et faites-la revenir 8 à 10 min en mélangeant régulièrement pour qu'elle dore sur toutes les faces.

2 Pendant ce temps, épluchez l'oignon et coupez-le finement. Puis ajoutez dans la cocotte l'oignon, le gingembre, le ras-el-hanout et 30 cl d'eau. Salez et poivrez. Mélangez bien puis couvrez et laissez cuire à feu doux 1 h environ. Remuez régulièrement pendant la cuisson.

3 Au bout de 1 h, retirez le couvercle et ajoutez les pruneaux, le miel et la cannelle. Laissez cuire 20 min à nouveau mais sans couvercle pour que le jus de cuisson réduise.

4 Pendant ce temps, dans une poêle anti-adhésive, faites griller à sec les amandes et les pignons jusqu'à ce qu'ils soient bien dorés (1 à 2 min). Lorsque la viande est cuite, déposez-la dans un plat et parsemez le tout d'amandes et de pignons grillés. Servez illico presto accompagné de semoule aux raisins secs.

LE COUP DE POUCE

- Vous pouvez remplacer les pignons par des graines de sésame.

LE PETIT + DE CYRIL

En fin de cuisson, vous pouvez parfumer le tout de 1 cuil. à café d'eau de fleur d'oranger.

TATIN
FAÇON TARTIFLETTE

PRÉPARATION
25 MINUTES

Pour **6 personnes** | Coût : **€** | Difficulté : ⭐⭐ | Cuisson : **30 min**

LISTE DES INGRÉDIENTS

---> 1 pâte brisée pur beurre toute prête
    4 belles pommes de terre
    8 petites tranches de fromage à raclette
    3 œufs
    20 cl de crème fraîche épaisse
    100 g de comté râpé
    6 belles tranches de lard
    1 noisette de beurre pour le moule
    sel et poivre

MATÉRIEL NÉCESSAIRE

---> 1 moule à bord haut (type tourtière)

1 Dans une casserole d'eau bouillante salée, faites cuire les pommes de terre entières 15 à 20 min selon leur grosseur. Pendant ce temps, ôtez la croûte du fromage à raclette. Dans un saladier, battez en omelette les œufs et la crème fraîche. Ajoutez le comté râpé. Battez à nouveau. Déposez les tranches de lard en étoile dans le fond du moule bien beurré.

2 Préchauffez le four à 210 °C (th. 7). Une fois cuites, égouttez les pommes de terre, épluchez-les et coupez-les en rondelles pas trop épaisses.

3 Ajoutez par-dessus les pommes de terre bien serrées en rosace. Poivrez. Ajoutez le fromage à raclette. Versez la préparation aux œufs.

4 Étalez la pâte puis piquez-la à l'aide d'une fourchette. Recourbez les bords. Mettez au four 30 min environ. À la sortie du four, attendez 30 sec avant de retourner la tarte sur un plat pour la démouler. Servez chaud, tiède ou froid.

LE COUP DE POUCE

---> À déguster en plat unique avec des cornichons et une grosse salade verte.

LE PETIT + DE CYRIL

Vous pouvez remplacer le comté râpé par des fromages plus corsés : appenzeller ou beaufort.

PETITS POTS DE CRÈME AU CHOCOLAT

PRÉPARATION
10 MINUTES

Pour **6 personnes** │ Coût : **E** │ Difficulté : ★ │ Cuisson : **35 min** │ Repos : **3 h**

LISTE DES INGRÉDIENTS

┈┈> 5 œufs
60 g de sucre en poudre
1 sachet de sucre vanillé
15 cl de lait
30 cl de crème liquide
130 g de chocolat noir

MATÉRIEL NÉCESSAIRE

┈┈> 6 ramequins

1 Préchauffez le four à 120 °C (th. 4). Dans un saladier, battez à l'aide d'un fouet les œufs, le sucre en poudre et le sucre vanillé jusqu'à ce que le mélange blanchisse. Dans une casserole, portez à ébullition, à feu doux, le lait et la crème liquide.

2 Hors du feu, ajoutez le chocolat en morceaux dans la casserole. Attendez quelques instants avant de mélanger pour que le chocolat fonde bien. Puis versez petit à petit le chocolat fondu dans la préparation aux œufs. Mélangez bien. Versez la crème au chocolat dans les ramequins. Mettez au four 35 min environ. À la fin de la cuisson, laissez refroidir quelques instants avant de mettre vos petits pots de crème au réfrigérateur (3 h). Servez bien frais.

LES COUPS DE POUCE

┈┈> Vos petits pots sont cuits quand la crème a pris mais reste encore bien tremblotante. C'est en passant au réfrigérateur que la texture devient crémeuse.

┈┈> Pensez à servir ce dessert accompagné de cigarettes russes, de langues de chat ou de boudoirs.

LE PETIT + DE CYRIL

Pour une petite note déco, utilisez des pots de yaourt en verre qui résistent à la chaleur à la place des ramequins.

TARTE AUX ABRICOTS ET À LA CRÈME DE NOISETTE

PRÉPARATION 20 MINUTES

Pour **6 personnes** | Coût : **€ €** | Difficulté : ★★ | Cuisson : **40 min**

LISTE DES INGRÉDIENTS

- 1 pâte brisée pur beurre toute prête
- 800 g d'abricots
- 140 g de beurre
- 3 cuil. à soupe de farine
- 100 g de noisettes en poudre
- 75 g de sucre en poudre
- 1 sachet de sucre vanillé
- 2 œufs
- 50 g de miel liquide
- 3 cuil. à soupe de rhum ambré (facultatif)
- 1 noisette de beurre pour le moule

1 Préchauffez le four à 210 °C (th. 7). Étalez la pâte dans un moule à tarte beurré. Piquez le fond à l'aide d'une fourchette et mettez au four 10 min pour précuire la pâte. Pendant ce temps, lavez et dénoyautez les abricots. Faites fondre le beurre au micro-ondes.

2 Dans un saladier, à l'aide d'un fouet, battez le beurre fondu et refroidi avec la farine, la poudre de noisettes, le sucre en poudre et le sucre vanillé. Mélangez bien. Ajoutez les œufs entiers un à un, puis le miel et enfin le rhum. Mélangez à nouveau.

3 Répartissez les demi-abricots sur le fond de tarte précuit en les serrant bien. Puis, versez la crème à la noisette de façon à recouvrir les abricots. Mettez au four 40 min environ. À la sortie du four, laissez refroidir la tarte quelques instants avant de la démouler. Servez tiède ou froid.

POUR ALLER PLUS VITE

Pensez aux abricots au sirop. Dans ce cas-là, égouttez-les bien.

LE COUP DE POUCE

Si votre tarte à tendance à dorer trop vite, pensez à la recouvrir d'aluminium en cours de cuisson et à baisser la température du four à 180 °C (th. 6).

LE PETIT + DE CYRIL

Pour varier les plaisirs, remplacez la moitié des abricots par 400 g de quetsches.

TARTE TATIN EXPRESS

Pour **4 à 6 personnes** | Coût : **€** | Difficulté : ★ | Cuisson : **25 min**

LISTE DES INGRÉDIENTS

·····⇾ 1 pâte brisée pur beurre toute prête
10 cuil. à soupe de caramel liquide tout prêt
6 pommes
1 sachet de sucre vanillé (facultatif)
1 noisette de beurre pour le moule

MATÉRIEL NÉCESSAIRE

·····⇾ 1 moule à bord haut (tourtière)

1 Préchauffez le four à 210 °C (th. 7). Beurrez le moule et versez-y le caramel liquide. Déroulez la pâte en la laissant sur le papier sulfurisé et laissez-la reposer à température ambiante.

2 Épluchez les pommes et coupez-les en quartiers. Ajoutez-les, face bombée contre le caramel, en laissant un espace entre les fruits et le bord du moule. Saupoudrez le tout de sucre vanillé.

3 Étalez la pâte sur les pommes puis recourbez les bords vers l'intérieur. Mettez au four 25 min environ. À la sortie du four, attendez 30 sec avant de démouler la tarte sur un plat pour la retourner. Servez cette tarte Tatin tiède avec un petit pot de crème fraîche ou tout simplement 1 boule de glace à la vanille posée sur chaque part. Un grand classique dont on ne se lasse pas !

LES COUPS DE POUCE

·····⇾ La clé de la réussite ? Serrez bien vos quartiers de pommes les uns contre les autres avant d'étaler la pâte.

·····⇾ Vous pouvez rajouter quelques pincées de cannelle en même temps que le sucre vanillé : un vrai régal !

LE PETIT + DE CYRIL

Pour réussir à tous les coups, choisissez des pommes adaptées : reine des reinettes, canada ou boskoop.

RATTRAPAGES EXPRESS

Quand une recette ne se déroule pas comme prévu, sachez qu'il existe mille et une solutions pour rattraper au vol les erreurs de parcours.

COMMENT JE FAIS QUAND...

... MA MAYONNAISE NE PREND PAS ?

La règle d'or pour réussir à monter une mayonnaise : l'huile et l'œuf doivent être à température ambiante. Pensez à sortir l'œuf du réfrigérateur 15 min avant de vous lancer ou passez-le quelques instants sous l'eau chaude. Allez-y progressivement lorsque vous ajoutez l'huile, c'est là que tout se joue.

... MA RECETTE EST TROP SALÉE ?

Ajoutez quelques gros morceaux de pomme de terre crue qui absorberont l'excédent de sel. Et surtout n'oubliez pas de les enlever avant de servir !

... MON RIZ EST TROP CUIT ?

Rectifiez le tir en proposant un riz au four. Pour 250 g de riz cuit, ajoutez 1 œuf ba... et 2 cuil. à soupe de p... haché. Salez et poivrez. Mélangez bien. Déposez le tout dans un plat à gratin beurré. Saupoudrez de 4 cuil. à soupe de parmesan râpé. Répartissez 1 grosse noisette de beurre coupée en petits morceaux sur le dessus et mettez au four 12 à 15 min à 210 °C (th. 7).

... MON SOUFFLÉ N'EST JAMAIS MONTÉ ?

Rassurez-vous rien n'est perdu ! Pour dissimuler les dégâts, vous pouvez couper votre soufflé en parts comme une quiche puis déposez-en une dans chaque assiette accompagnée d'une belle salade verte.

... MA PÂTE À TARTE EST MOLLASSONNE ?

Lorsque vous utilisez des fruits juteux (pêches, poires, prunes), pensez à saupoudrer le fond de tarte de poudre d'amandes ou de noisettes avant d'ajouter les fruits. Vous pouvez aussi précuire votre pâte 10 min avant d'ajouter la garniture. Pour les tartes salées, ajoutez une poignée de gruyère râpé.

... MA PÂTE À CRÊPES FAIT DES GRUMEAUX ?

Il faut tamiser la farine, c'est-à-dire la passer à travers une passoire fine au-dessus d'un saladier. Puis, versez le lait et mélangez bien avant d'ajouter la suite des ingrédients.

… MA SAUCE EST PLEINE DE PÉPINS ?

Pas facile de repêcher les pépins d'un citron quand ils sont tombés dans une sauce. Pour les éviter, pressez votre citron au-dessus d'une passoire fine.

… LES LARDONS FLOTTENT SUR LE DESSUS DE MA QUICHE LORRAINE ?

C'est normal, les lardons ont tendance à remonter à la surface. Il suffit juste de les pousser du bout des doigts pour bien les enfoncer dans la pâte.

… MON GÂTEAU S'EST CASSÉ EN DEUX AU MOMENT DU DÉMOULAGE ?

Pour réparer les dégâts, recomposez le gâteau en serrant les parties l'une contre l'autre et recouvrez-les d'un glaçage au chocolat qui soudera parfaitement les morceaux en refroidissant. Pour cela, faites fondre 200 g de chocolat noir à cuire (1 tablette). Ajoutez 1 cuil. à soupe d'huile d'arachide et mélangez hors du feu jusqu'à obtention d'une pâte lisse et brillante. Étalez ensuite votre glaçage sur la totalité de votre gâteau (bords compris) à l'aide d'une spatule ou d'un grand couteau de façon à former une couche homogène. Laissez refroidir le tout à température ambiante. Ne placez surtout pas votre gâteau au réfrigérateur, le glaçage perdrait son brillant.

… MON GÂTEAU A TENDANCE À BRÛLER SUR LE DESSUS ?

Pendant la cuisson, recouvrez-le d'une feuille d'aluminium et baissez légèrement la température du four. Si il est vraiment trop brûlé à l'arrivée, rattrapez ce loupé en coupant la couche calcinée à l'aide d'un couteau. Puis coupez-le en parts et badigeonnez le dessus de Nutella ou de confiture. Vous pouvez aussi le saupoudrer de sucre glace. Le tout passera ni vu ni connu.

PETITES ASTUCES QUI FACILITENT LA VIE

Je pleure à tous les coups quand j'épluche un oignon.

⋯⟫ **La solution** : rien de plus simple ! Il suffit d'épluchez vos oignons sous l'eau froide. Vous pouvez aussi mettre des lunettes de vue ou de soleil pour protéger vos yeux.

Je ne sais plus si mes œufs sont frais.

⋯⟫ **La solution** : commencez par vérifier s'il n'y a pas de date de péremption imprimée sur la coquille. Sinon, plongez votre œuf dans un grand verre d'eau salée : s'il remonte à la surface, il n'est plus frais.

Je ne maîtrise pas la conservation de l'ail et des échalotes.

⋯⟫ **La solution** : c'est vrai que l'ail et les échalotes ont tendance à germer facilement. Pour une conservation au top, il suffit de disposer une couche de 1 cm de gros sel au fond du récipient dans lequel vous les entreposez.

LES CONSEILS VIN

POUR DEVENIR UN(E) PRO

COMMENT CONSERVER LE VIN ?

Le pire ennemi du vin ? La lumière qui altère sa couleur et son arôme. Pour protéger vos bouteilles, l'idéal est donc de les laisser dans leur caisse ou de les envelopper dans de l'aluminium. Si vous avez une cave, sachez que la température idéale est de 11 °C et qu'elle doit rester constante tout au long de l'année. Les écarts de température sont fatals pour une bouteille, mieux vaut encore une température excessive plutôt qu'un choc thermique.

FAUT-IL CONSERVER VOS BOUTEILLES DEBOUT OU COUCHÉES ?

Stockez toujours vos bouteilles à l'horizontale : vous éviterez ainsi que le bouchon en liège ne se dessèche et qu'il ne perde son étanchéité. En prime, cela permet d'empiler les bouteilles plus facilement en limitant les éventuelles chutes. En revanche, les bouteilles de champagne, elles, se conservent toujours en position verticale.

COMMENT DÉGUSTER UN VIN DANS LES RÈGLES DE L'ART ?

Avant de vous lancer dans une dégustation, bannissez tout ce qui peut contrarier votre palais (dentifrice, cigarettes, café, fruits, bonbons ou encore chewing-gum à la menthe). Évitez aussi de vous asperger de parfum ou d'après-rasage : toutes les odeurs prononcées entravent l'odorat.

COMMENT CONSERVER UNE BOUTEILLE OUVERTE ?

Rebouchez-la avant de la placer au réfrigérateur. Elle pourra y rester 3 à 4 jours. Si c'est une bouteille de champagne, sachez qu'elle se conserve peu et mal. Une fois ouverte, mieux vaut donc la boire dans la foulée.

COMMENT LUTTER CONTRE UNE TACHE DE VIN CORIACE ?

La règle d'or ? N'attendez pas avant d'agir : saupoudrez généreusement la tache de sel fin afin que celui-ci absorbe le vin. Laissez poser 2 h environ avant d'enlever le sel et de frotter la tache avec de l'eau chaude. Et si vous avez taché un tissu blanc pas trop fragile, vous pouvez avoir finalement recours à l'eau de javel.

POUR MIEUX ACHETER

COMMENT CHOISIR UNE BOUTEILLE EN GRANDES SURFACES ?

Vous pouvez trouver de bonnes bouteilles au supermarché, parfois même à des prix imbattables, lors des foires aux vins. Mais restez vigilant : l'habit ne faisant pas le moine, méfiez-vous des étiquettes alléchantes, elles ne garantissent pas la qualité.

COMMENT BIEN ACHETER CHEZ UN CAVISTE ?

N'hésitez pas à poser un maximum de questions au caviste et à lui faire part de vos impressions sur une bouteille achetée... Il pourra vous aider à trouver le vin le plus adapté à votre menu.

QU'EST-CE QUE JE PROPOSE AVEC :

UN POISSON À LA VAPEUR ?

Un vin blanc sec et léger comme un sylvaner, un bordeaux blanc, un pouilly, un sancerre ou un chablis.

DES FRUITS DE MER OU DES POISSONS GRILLÉS ?

Un vin rosé comme un bandol ou un tavel ou bien un vin blanc sec.

UNE VIANDE BLANCHE OU UNE VOLAILLE ?

Un vin rouge souple comme un bourgogne, un bordeaux supérieur ou éventuellement un costières de Nîmes.

UNE VIANDE ROUGE ?

Un vin rouge puissant et aromatique comme un bourgogne ou un bourgueil ; pour les grandes occasions, pensez à un chassagne-montrachet ou à un gevrey-chambertin. Misez aussi sur les vins italiens et pourquoi pas un chianti ou un asti-spumante ?

DU SUCRÉ (DESSERTS ET PÂTISSERIES) ?

Un vin blanc liquoreux comme un sauternes ou éventuellement un monbazillac, une vendange tardive ou, évidemment, un champagne ou un mousseux pour un côté plus festif.

RECETTE DE VIN CHAUD (POUR 10 COPAINS)

Dans une casserole, faites chauffer à feu doux **2 bouteilles de vin rouge, 100 g de sucre roux, le zeste de 1 citron** et **celui de 1 orange, 2 bâtons de cannelle, 2 clous de girofle, 1 morceau de gingembre râpé** et **2 pincées de noix muscade en poudre**. Portez ce mélange à ébullition. Quand il frémit, laissez le cuire 5 min environ. Servez votre vin chaud illico presto en le filtrant à travers une passoire.

LES COUPS DE POUCE

⤏ **Pour une touche déco,** rajoutez 1 rondelle d'orange par verre.

⤏ **Pensez à rajouter un filet de miel liquide** si vous aimez le vin chaud bien sucré.

⤏ **Vous pouvez remplacer le gingembre râpé** par 3 pincées de gingembre en poudre.

On a tous en mémoire des recettes de nos mères qui, en un clin d'œil, réussissaient à nourrir toute une tribu. Leurs bons petits plats ont fait leurs preuves mille et une fois. À votre tour de relever le défi en gardant en tête que ces recettes ont toujours l'air plus compliquées qu'elles ne le sont vraiment. On vous en souffle quelques-unes pour perpétrer la tradition, celles pour épater la galerie (pp. 178-183) et celles pour retomber en enfance (pp. 184-191).

LES BASIQUES DE MAMAN

LES PETITS TRUCS DE MAMAN

⋯⟩ **Si vous ne vous lancez pas** immédiatement dans la vaisselle, prenez l'habitude de rincer assiettes et couverts et de faire tremper les plats à gratin les plus coriaces : un peu contraignant sur le coup mais un tel gain de temps par la suite...

⋯⟩ **Avant de servir un plat,** pensez à chauffer les assiettes quelques instants dans un four préchauffé à 60 °C (th. 2). Laissez toujours 1/2 citron dans votre réfrigérateur : idéal pour chasser les mauvaises odeurs.

⋯⟩ **Les légumes et les fruits coupés** s'oxydent rapidement à l'air libre. Pour éviter qu'ils ne noircissent, préparez-les au dernier moment.

⋯⟩ **Quand vous utilisez de l'aluminium,** déposez toujours vos aliments sur le côté mat et non brillant.

BLANQUETTE DE VEAU DES DÉJEUNERS DE FAMILLE

PRÉPARATION 20 MINUTES

Pour **6 personnes** | Coût : 🇪🇪 | Difficulté : ★★★ | Cuisson : **1 h 20 min**

LISTE DES INGRÉDIENTS

- ⟶ 1,5 kg de viande de veau en morceaux
- 3 carottes
- 1 oignon
- 2 clous de girofle
- 1 bouquet garni
- 200 g de champignons de Paris
- 150 g de petits oignons
- 20 cl de crème fraîche épaisse
- 2 jaunes d'œufs
- 50 g de farine
- 50 g de beurre
- le jus de 1/2 citron (facultatif)
- 1 grosse noix de beurre pour le faitout
- sel et poivre

1 Épluchez et coupez les carottes en morceaux. Épluchez l'oignon et piquez-y les clous de girofle. Dans un faitout ou une cocotte, faites fondre la noix de beurre, ajoutez la viande et faites-la revenir sur toutes ses faces (elle ne doit pas trop colorer). Salez et poivrez. Ajoutez les carottes, l'oignon piqué et le bouquet garni. Recouvrez la viande d'eau. Laissez cuire 40 min à couvert et à feu doux.

2 Pendant ce temps, rincez les champignons et coupez-les en fines lamelles. Épluchez les petits oignons. Au bout des 40 min de cuisson, ajoutez les champignons et les oignons. Laissez cuire à couvert (avec un couvercle) 40 min de plus.

3 À l'issue de la cuisson, égouttez la viande et les légumes en conservant l'eau de cuisson et filtrez-la à travers une passoire. Dans un bol, battez la crème fraîche avec les jaunes d'œufs.

4 Puis, dans une casserole, faites cuire la farine avec le beurre 5 min environ à feu doux. Mélangez régulièrement. Versez-y environ 80 cl d'eau de cuisson en fouettant énergiquement. Ajoutez le contenu du bol dans la casserole. Faites chauffer sans faire bouillir, en mélangeant sans cesse. Hors du feu, ajoutez le jus de citron. Puis, nappez la viande et les légumes de sauce. Accompagnez le tout de riz blanc.

LE PETIT + DE CYRIL

Troquez le veau contre du poulet coupé en morceaux. Réduisez alors le temps de cuisson à 45 min seulement.

GIGOT D'AGNEAU RÔTI

PRÉPARATION
10
MINUTES

Pour **4 à 6 personnes** │ Coût : **€ € €** │ Difficulté : ★ │ Cuisson : **45 min**

LISTE DES INGRÉDIENTS

----⟩ 1 beau gigot d'agneau (2 kg environ)
15 gousses d'ail
3 noisettes de beurre
2 cuil. à soupe d'herbes de Provence
sel et poivre

1 Préchauffez le four à 210 °C (th. 7). Épluchez et hachez 2 gousses d'ail. Déposez le gigot dans un plat. Répartissez le beurre sur le gigot puis saupoudrez d'ail haché et d'herbes de Provence. Salez et poivrez.

2 Répartissez les gousses d'ail entières autour de votre gigot. Mettez au four 40 à 45 min environ selon vos goûts. Arrosez-le d'un peu d'eau chaude en début de cuisson puis de son jus par la suite. N'hésitez pas à ajouter de l'eau chaude en cours de cuisson s'il n'y a pas assez de sauce. Une fois cuit, laissez-le reposer 10 min dans le four éteint, porte entrouverte.

3 Puis sortez le gigot du four, découpez-le en tranches et déposez-les dans le plat avec la sauce et les gousses d'ail. Servez illico presto.

LES COUPS DE POUCE

----⟩ Pour accompagner le gigot, on vous recommande des pommes dauphine ou des pommes noisettes bien dorées.

----⟩ Pour parfumer encore plus votre viande, coupez 3 gousses d'ail en morceaux puis piquez-les dans le gigot. Pour cela, il suffit de faire des entailles avec un couteau dans la chair et d'y insérer les morceaux d'ail.

----⟩ Si vous n'avez pas de plat assez grand, déposez votre gigot directement sur la plaque du four (surtout pas sur la grille).

LE PETIT + DE CYRIL

La clé de la réussite ? Tout au long de la cuisson, arrosez régulièrement le gigot de son jus.

LAPIN
À LA MOUTARDE

Pour **4 personnes** | Coût : | Difficulté : ★★ | Cuisson : **1 h**

LISTE DES INGRÉDIENTS

⋯⋯> 1 lapin coupé en morceaux (1,5 kg environ)
1 échalote
2 cuil. à soupe d'huile
2 noisettes de beurre
1 cuil. à soupe de farine

1 bouquet garni
6 cuil. à soupe de crème fraîche
3 cuil. à soupe de moutarde
sel et poivre

1 Épluchez l'échalote et coupez-la finement. Dans une cocotte, faites chauffer l'huile et 1 noisette de beurre. Ajoutez les morceaux de lapin et faites-les cuire 10 min à feu vif en mélangeant pour qu'ils dorent sur toutes les faces. Ajoutez la seconde noisette de beurre et la farine. Mélangez sans cesse. Ajoutez l'échalote et le bouquet garni. Salez et poivrez. Couvrez et laissez cuire 45 min à feu doux.

2 5 min avant la fin de la cuisson, mélangez la crème fraîche et la moutarde dans un bol. Ôtez le bouquet garni et déposez les morceaux de lapin sur un plat. Versez la crème à la moutarde dans la cocotte. Battez à l'aide d'un fouet jusqu'à obtention d'une sauce lisse et onctueuse. Puis nappez le lapin de sauce à la moutarde. Servez illico presto.

LE COUP DE POUCE

⋯⋯> Sachez qu'on peut trouver des bouquets garnis tout prêts au rayon légumes des supermarchés.

LE PETIT + DE CYRIL

Parsemez votre lapin à la moutarde de ciboulette coupée finement juste avant de servir.

GRATIN DAUPHINOIS

Pour **4 personnes** | Coût : **€** | Difficulté : ★ | Cuisson : **1 h 30**

LIST DES INGRÉDIENTS

- 1,5 kg de pommes de terre
- 1 gousse d'ail
- 30 cl de lait
- 30 cl de crème fraîche
- 3 pincées de noix muscade en poudre
- 100 g de comté râpé
- 20 g de beurre
- 1 noisette de beurre pour le moule
- sel et poivre

1 Préchauffez le four à 180 °C (th. 6). Épluchez les pommes de terre et coupez-les en très fines rondelles. Épluchez la gousse d'ail, coupez-la en deux et frottez-en les parois d'un plat à gratin. Puis beurrez-le. Dans un bol, mélangez le lait avec la crème fraîche.

2 Disposez les pommes de terre en les faisant se chevaucher. Salez, poivrez et ajoutez la noix muscade. Puis, nappez les pommes de terre du mélange lait-crème. Parsemez le tout de comté râpé et ajoutez les 20 g de beurre coupé en morceaux. Mettez au four 1 h 30 environ. Si votre gratin a tendance à dorer trop vite, couvrez-le avec de l'aluminium. Servez chaud dans le plat de cuisson.

POUR ALLER PLUS VITE

- Coupez les rondelles de pommes de terre à l'aide d'un robot.

LES COUPS DE POUCE

- Vous pouvez remplacer le comté râpé par du cantal, de l'emmental, du gruyère ou du beaufort.
- Pensez à rajouter 1 œuf entier dans le mélange lait-crème si vous souhaitez donner plus de consistance à votre gratin.

LE PETIT + DE CYRIL

Pour les gratins, choisissez des pommes de terre à chair ferme comme des belles de Fontenay.

QUICHE LORRAINE COMME ON L'AIME

Pour **6 personnes** | Coût : **€** | Difficulté : ★ | Cuisson : **30 min**

LISTE DES INGRÉDIENTS

┈┈┤ 1 pâte brisée pur beurre toute prête
200 g de lardons
80 g de comté
6 œufs
40 cl de crème fraîche épaisse
2 pincées de noix muscade
1 noisette de beurre pour le moule
sel et poivre

1 Préchauffez le four à 210 °C (th. 7). Étalez la pâte dans un moule à tarte beurré. Piquez le fond à l'aide d'une fourchette et mettez au four 10 min pour précuire la pâte. Dans une poêle anti-adhésive, faites revenir les lardons 7 min environ jusqu'à ce qu'ils commencent à bien dorer. Coupez le comté en lamelles et déposez ces dernières sur le fond de tarte précuit. Ajoutez les lardons par-dessus.

2 Dans un saladier, battez les œufs en omelette avec la crème fraîche, à l'aide d'une fourchette. Salez et poivrez, ajoutez la noix muscade. Mélangez bien. Versez la préparation sur les lardons et mettez au four 30 min à 180 °C (th. 6) jusqu'à ce que la quiche soit bien dorée.

POUR ALLER PLUS VITE

┈┈┤ Remplacez les lardons par des lamelles de jambon blanc. Vous éviterez ainsi l'étape de la poêle.

LE COUP DE POUCE

┈┈┤ Si votre quiche a tendance à dorer trop vite, couvrez-la avec de l'aluminium en cours de cuisson et baissez la température du four à 160 °C (th. 5-6).

LE PETIT + DE CYRIL

Pour une version encore plus gourmande, rajoutez dans la préparation 1 cuil. à soupe de ciboulette ciselée, quelques échalotes ou des champignons émincés et dorés à la poêle.

SOUFFLÉ AU FROMAGE INRATABLE

Pour **6 personnes** | Coût : **€** | Difficulté : ⭐⭐ | Cuisson : **30 min**

LISTE DES INGRÉDIENTS

····⟩ 30 cl de crème liquide
3 cuil. à soupe de fécule
30 g de beurre
6 œufs
220 g de comté râpé
4 pincées de noix muscade en poudre
sel et poivre

····⟩ **Pour le plat :**
1 noisette de beurre
3 cuil. à soupe d'emmental râpé

MATÉRIEL NÉCESSAIRE

····⟩ 1 plat à soufflé

1 Préchauffez le four à 200 °C (th. 6-7). Beurrez le plat à soufflé et parsemez-le d'emmental. Dans une grande casserole, portez à ébullition la crème liquide avec la fécule pendant 5 min environ. À feu doux, mélangez sans cesse à l'aide d'un fouet jusqu'à obtention d'une pâte épaisse. Hors du feu, ajoutez le beurre. Mélangez à nouveau.

2 Séparez les jaunes des blancs d'œufs et battez les blancs en neige bien ferme. Ajoutez les jaunes un à un dans la casserole. Mélangez bien. Ajoutez le comté râpé et la noix muscade. Salez et poivrez. Mélangez à nouveau. Hors du feu, versez les blancs d'œufs en deux fois dans la casserole. Mélangez délicatement sans casser les blancs.

3 Versez la préparation dans le plat. Mettez au four 25 à 30 min environ, sans ouvrir la porte du four. Le soufflé est prêt quand il est gonflé et doré. Servez illico presto.

LE COUP DE POUCE

····⟩ Pour varier les plaisirs, variez les fromages : emmental, gruyère, beaufort, appenzeller...

LE PETIT + DE CYRIL

Pour que votre soufflé monte bien : après avoir beurré le plat, ne touchez pas l'intérieur avec les doigts, une seule empreinte suffirait à le couper dans son élan. Évitez aussi d'ouvrir la porte du four en cours de cuisson.

TOMATES FARCIES

PRÉPARATION
25
MINUTES

Pour **4 personnes** | Coût : **€** | Difficulté : ★★ | Cuisson : **45 min**

LISTE DES INGRÉDIENTS

----> 8 tomates moyennes
400 g de veau haché
2 tranches de jambon
1 oignon
1 échalote
1 gousse d'ail
1 tranche de pain de mie imbibée de lait

1 œuf
2 cuil. à soupe de persil ciselé surgelé
2 cuil. à soupe d'estragon ciselé surgelé
1 filet d'huile d'olive
1 noisette de beurre pour la poêle
sel et poivre

1 Préparez la farce : épluchez et coupez finement l'oignon, l'échalote et l'ail. Dans une poêle, faites fondre la noisette de beurre puis ajoutez-les et faites-les revenir 5 min environ.

2 Préchauffez le four à 200 °C (th. 6-7). Hachez le jambon à l'aide d'un couteau puis écrasez la mie de pain avec une fourchette. Dans un bol, battez l'œuf en omelette.

3 Dans un saladier, mélangez à la fourchette le veau et le jambon hachés, l'ail, l'oignon, l'échalote, la mie de pain, l'œuf battu et les fines herbes. Salez et poivrez.

4 Lavez les tomates et ouvrez-les en découpant le chapeau (conservez-les pour la suite). Retirez la pulpe à l'aide d'une petite cuiller. Garnissez chaque tomate évidée de farce. Tassez bien avant de remettre les chapeaux. Arrosez d'un filet d'huile d'olive. Mettez au four 45 min et servez illico presto.

POUR ALLER PLUS VITE

----> Utilisez de l'ail, de l'oignon et de l'échalote émincés surgelés. Supprimez la tranche de pain et l'œuf. Cela permet d'écourter la deuxième étape ; la recette est alors plus brute mais tout aussi délicieuse.

LE COUP DE POUCE

----> Lorsque vous évidez les tomates, n'hésitez pas à déposer leur pulpe dans le fond du plat avant de les mettre au four. En cuisant, vos tomates farcies n'en seront que plus moelleuses.

LE PETIT + DE CYRIL

Vous pouvez remplacer le veau et le jambon par 500 g de chair à saucisse.

ET DU CÔTÉ DES BONS BASIQUES ?

Comment je prépare ?

UNE CÔTE DE BŒUF

1 Préchauffez le four à 240 °C (th. 8).

2 Déposez la côte de bœuf dans un plat à gratin et mettez-la au four quelques minutes pour la saisir. Puis, baissez la température à 180 °C (th. 6) et faites-la cuire 35 min environ en la retournant à mi-cuisson.

3 À la fin de la cuisson, faites-la reposer 10 min environ sous de l'aluminium. Puis découpez-la en biais. Parsemez le tout de gros sel et donnez quelques tours de moulin à poivre. Servez illico presto avec des pommes de terre sous toutes leurs formes : dauphine, purée maison (voir p. 123), frites ou au four.

Comptez 1 côte de bœuf de 1,5 kg pour 4 personnes.

┈┈> **Pour varier les plaisirs,** parsemez votre côte de bœuf de persil finement coupé juste avant de servir. Au top avec une sauce béarnaise ou une sauce bordelaise.

UN POULET RÔTI

1 Préchauffez le four à 210 °C (th. 7).

2 Dans un plat à gratin, déposez votre poulet. Salez et poivrez. Répartissez sur le dessus quelques noisettes de beurre et arrosez d'un filet d'huile d'olive.

3 Mettez au four 1 h 15 environ. Arrosez-le d'un peu d'eau chaude en début de cuisson puis de son jus par la suite. N'hésitez pas à rajouter de l'eau chaude en cours de cuisson si nécessaire.

Comptez 1 poulet de 1,5 kg pour 4 à 6 personnes.

┈┈> **Pour varier les plaisirs,** ajoutez dans le fond du plat quelques oignons et échalotes coupés finement ou 1 citron non traité coupé en quartiers. Vous pouvez aussi saupoudrer le poulet de quelques pincées d'herbes de Provence ou de piment avant de le mettre au four.

UN MAGRET DE CANARD

1 Entaillez la peau (blanche) du magret en croisillons à l'aide de la pointe d'un couteau.

2 Salez et poivrez de chaque côté.

3 Dans une poêle anti-adhésive, faites chauffer 1 cuil. à soupe d'huile d'olive et faites revenir le magret entier côté peau 10 min environ. Arrosez-le régulièrement de son jus puis retournez-le et faites cuire l'autre face 3 min environ.

4 À la sortie de la poêle, faites-le reposer 5 min enveloppé dans de l'aluminium. Puis, découpez le magret en tranches et servez illico presto avec du riz sauvage ou une poêlée de champignons.

Comptez 1 magret pour 1 à 2 personnes.

····⟩ **Pour varier les plaisirs**, frottez le magret avec 1 gousse d'ail coupée en deux avant de le poêler. Vous pouvez aussi le faire mariner quelques heures et pourquoi pas dans un mélange de jus de citron et d'eau additionnée de quelques pincées de piment d'Espelette, d'un filet de miel et d'ail haché ?

UN POISSON RÔTI

1 Préchauffez le four à 210 °C (th. 7).

2 Déposez votre poisson dans un plat à four huilé. Arrosez-le d'un filet d'huile d'olive. Salez et poivrez et ajoutez 1 cuil. à café de thym (facultatif). Mettez au four 35 min environ en l'arrosant plusieurs fois avec l'huile de cuisson.

3 À la fin de la cuisson, faites reposer votre poisson 5 à 10 min sous une feuille d'aluminium. Puis, retirez la peau, récupérez délicatement les filets le long des arêtes et servez illico presto avec quelques quartiers de citron et du riz blanc ou des pommes de terre vapeur.

Comptez un poisson vidé et écaillé de 1,5 kg environ pour 4 personnes. Cette recette fonctionne aussi bien avec du bar, du saumon, de la dorade ou du lieu.

····⟩ **Pour varier les plaisirs,** déposez quelques branches de fenouil ou des rondelles de citron à l'intérieur du poisson avant de le mettre au four. Pensez à déposer dans le fond du plat des échalotes, des oignons coupés finement ou des quartiers de tomates.

Laissez-vous tenter par ces formules idéales pour recevoir tous vos copains sans stress et sans plomber votre budget... Tout le monde mettra la main à la pâte donc pas d'agitation en cuisine à la dernière minute, et vous pourrez profiter pleinement de votre soirée.

LES BONNES FORMULES POUR RECEVOIR SANS PRISE DE TÊTE

À CHAQUE SAISON, SA FORMULE...

⋯⟩ **Automne : « Cheese and wine »**
Idée plus : pour jouer la carte automnale à fond, récupérez quelques feuilles de chêne pour décorer votre plateau.

⋯⟩ **Hiver : Raclette et fondue**
Idée plus : pour des soirées au coin du feu, sortez du génépi (une liqueur à base de plantes aromatiques).

⋯⟩ **Printemps : Moules-frites**
Idée plus : pour le bien-être de tous, prévoyez quelques rince-doigts (une simple coupelle d'eau tiède avec une rondelle de citron).

⋯⟩ **Eté : Barbecue**
Idée plus : testez les brochettes de chamallows. Enfilez des guimauves sur des piques à brochettes. Faites-les griller pendant 40 sec environ et dégustez-les illico presto.

SOIRÉES « CHEESE AND WINE », MODE D'EMPLOI

Le concept est simple : troquer un dîner classique contre un menu 100 % fromages… Une formule originale à présenter sous forme de buffet. Avec un minimum de préparation, vous obtiendrez un maximum de convivialité. Pour une version économique, mettez tous vos invités à contribution en leur demandant d'apporter chacun un fromage.

Pour une soirée « cheese and wine » dans les règles de l'art, prévoyez :

LES PAINS QUI VONT BIEN

Évidemment, on s'attend à retrouver les deux incontournables : baguette et pain de campagne. Pour une note plus originale, misez sur des pains au sésame, au pavot, aux noix ou même aux olives : un régal ! Pensez aussi aux pains à base de fruits (abricot, figue, raisin ou orange) pour jouer la carte sucré-salé. Ils se marient à merveille avec les chèvres et les pâtes persillées (roquefort ou fourme d'Ambert).

LES VERRES DE VIN QUI VONT BIEN

Ne dit-on pas « Qui se ressemble s'assemble » ?

Alors profitez-en pour associer fromages et vins d'une même région. Et pourquoi pas un morceau de comté avec un petit verre de vin jaune du Jura, un bon camembert de Normandie avec une bolée de cidre, de la tomme de Savoie avec un vin de Savoie (apremont ou roussette), ou encore un saint-nectaire avec un saint-pourçain ? N'oubliez pas les vins blancs. Contrairement aux idées reçues, il n'y a pas que les vins rouges pour accompagner un plateau de fromages. Même si cette tradition est bien ancrée dans les esprits, sortez des sentiers battus en proposant du vin blanc. Et pourquoi pas un vin blanc liquoreux avec un pont-l'évêque et un vin blanc sec (vouvray ou chablis) avec un petit chèvre sec (et notamment un rocamadour) ?

LES ACCOMPAGNEMENTS QUI VONT BIEN

Préparez une belle salade verte aux fines herbes ou une salade de tomates toute simple, indispensable pour apporter un peu de fraîcheur à ce menu tout fromage. Pour les plus gourmands, prévoyez des pommes de terre sautées. Dispersez des ramequins de fruits secs (noisettes, noix, abricots et figues), ils s'accordent parfaitement avec les fromages. Côté dessert, prévoyez un saladier de fruits : mandarines et raisin, les deux alliés de vos soirées « cheese and wine ». Vous pouvez aussi proposer des glaces et notamment des esquimaux ou des petits pots de glace individuels faciles à déguster. Pour les plus téméraires ou les fans de choco, préparez un brownie et coupez-le en cubes (voir p. 72).

LA PETITE IDÉE QUI VA BIEN

Pour des saveurs sucré-salé subtiles, pensez aux confitures : aux coings avec la tomme de brebis, à la cerise noire avec le petit-basque, aux figues avec les chèvres et les fromages corses. Des combinaisons testées et approuvées plus d'une fois !

FAUT-IL CONSERVER SES FROMAGES AU RÉFRIGÉRATEUR ?

Oui, les fromages se conservent au réfrigérateur. Placez-les dans la partie la moins froide, à savoir le bac à légumes. N'oubliez pas de les sortir 2 h environ avant votre soirée « cheese and wine » pour qu'ils révèlent tous leurs arômes et leur moelleux.

LE PLATEAU DE FROMAGES IDÉAL

Un morceau de comté : choisissez-le fruité plutôt que vieux afin de plaire au plus grand nombre, surtout s'il y a des enfants ; il est plus doux pour le palais.

Un chèvre moelleux et un chèvre plus sec : pour varier les plaisirs et tester des affinages différents. Et pourquoi pas un rocamadour, un picodon ou un crottin de Chavignol ?

Une pâte molle à croûte fleurie : par exemple, l'incontournable camembert, mais aussi une part de brie ou un chaource.

Un fromage plus puissant et corsé : optez pour une pâte molle à croûte lavée comme le maroilles, l'époisses ou le munster qui restent les grands classiques.

Un vacherin : cette spécialité franco-suisse à la pâte très crémeuse se sert à la petite cuiller, ce qui le rend on ne peut plus convivial ! Certains fromagers conseillent de placer le vacherin près d'un radiateur pour lui redonner toute son onctuosité juste avant de le servir.

Un fromage persillé : roquefort ou fourme d'Ambert, par exemple. Finissez toujours votre dégustation par ces fromages corsés et forts en goût.

Un fromage étranger : pour varier les plaisirs, servez un appenzeller venu tout droit de Suisse, un morceau de pecorino pour une note italienne ou encore de la mimolette pour représenter les fromages néerlandais.

Un fromage inconnu : laissez votre fromager vous guider vers de nouvelles saveurs.

QU'EST-CE QUE JE FAIS DES RESTES ?

Pour réutiliser des chèvres entamés qui ne sont plus présentables, écrasez-les à la fourchette avec du fromage frais (type Chavroux ou Saint-Môret). Roulez-les ensuite en petites boules et parsemez-les de paprika, cumin, graines de sésame, noix en morceaux, ciboulette finement ciselée ou bien de raisins secs. Placez-les au réfrigérateur avant de les servir en mini-bouchées à l'heure de l'apéro.

RACLETTE ET FONDUE

LES CLÉS D'UNE RACLETTE RÉUSSIE

(pour 6 personnes)

Dans une casserole d'eau bouillante salée, faites cuire vos **pommes de terre** 20 min. Pendant ce temps, préchauffez l'appareil à raclette et coupez **800 g de fromage à raclette** en fines tranches. Disposez la **charcuterie** et le fromage sur un plat. Une fois cuites, égouttez bien les pommes de terre et attablez-vous illico presto.

⸳⸳⸳⸾ **Et plutôt que le traditionnel fromage à raclette**, optez pour des fromages qui changent : saint-marcellin, fromage de brebis, reblochon, saint-nectaire, fourme d'Ambert, livarot ou maroilles...

⸳⸳⸳⸾ **Au top avec...**

Des cornichons, de la viande des grisons et du jambon de Savoie. Mais pensez aussi au jambon de Parme, au salami, aux tranches de magret de canard fumé, à la bresaola, au jambon aux herbes, à la coppa, à la mortadelle, aux œufs de caille à faire cuire directement dans les poêlons. Côté légumes, servez des rondelles de tomates, des petits épis de maïs, ou encore des champignons.

LES CLÉS D'UNE FONDUE RÉUSSIE

(pour 6 personnes)

Coupez **1 pain de campagne** en gros cubes. Prévoyez **400 g de comté, 400 g de beaufort** et **400 g d'emmental**. Ôtez les croûtes des fromages et coupez-les en morceaux. Épluchez **1 gousse d'ail**, coupez-la en deux et frottez-en l'intérieur du caquelon (appareil à fondue). Dans un bol, mélangez **2 cuil. à soupe de kirsch** avec **3 cuil. à café de fécule**. Posez le caquelon sur la cuisinière puis, versez **25 cl de vin blanc sec de Savoie** (apremont ou roussette) et la moitié des fromages. Laissez cuire à feu doux jusqu'à ce que les fromages soient bien fondus. Remuez sans cesse en formant des « 8 » avec une cuiller en bois. Puis ajoutez à nouveau **25 cl de vin blanc sec** et le reste des fromages. Laissez fondre en mélangeant énergiquement. Ajoutez la fécule au kirsch et **2 pincées de noix muscade.**

Poivrez et continuez à remuer jusqu'à obtention d'une fondue onctueuse et lisse (3 min environ). Posez le caquelon sur le réchaud à alcool allumé. Dégustez illico presto en trempant vos cubes de pain dans la fondue.

⸳⸳⸳⸾ **Pour aller plus vite**, sachez qu'il existe des mélanges à fondue tout prêts.

⸳⸳⸳⸾ **Pour varier les plaisirs**, variez les fromages et pensez aussi à le fondue au chocolat (voir p. 118).

SOIRÉES MOULES-FRITES

Une formule ultra-économique pour recevoir toute sa bande de potes.

MOULES À LA CRÈME

(pour 4 à 6 personnes)

Lavez **2 kg de moules**, grattez-les et ôtez les filaments herbeux ; surtout, jetez celles qui sont ouvertes ou cassées. Épluchez et coupez **2 échalotes** en petits morceaux. Dans une cocotte, faites revenir les échalotes dans **1 noisette de beurre** (2 min environ). Ajoutez **20 cl de vin blanc sec** et **2 cuil. à soupe de persil** coupé finement. **Poivrez** et faites chauffer à feu vif 1 min environ. Ajoutez les moules et laissez-les cuire avec un couvercle 5 min en mélangeant régulièrement.

Pendant ce temps, mélangez **3 cuil. à soupe de crème fraîche** avec **2 cuil. à café de curry** en poudre dans un bol. Ajoutez ce mélange dans le faitout. Remuez et laissez cuire 1 min à nouveau. Une fois cuites, éliminez les moules qui sont restées fermées.

····⟩ **Pour aller plus vite**, achetez un sac de moules prélavées (en vente chez votre poissonnier).

····⟩ **Les bons tuyaux**

Les moules s'achètent au kilo, la quantité moyenne par personne étant de 500 g (pour un plat principal). Si on vous les propose au litre, sachez que 1 l contient 700 à 800 g. Lorsque vous préparez vos moules, ne remplissez pas votre faitout à plus de la moitié, vous auriez alors du mal à les mélanger au cours de la cuisson.

LES VRAIES FRITES « MAISON »

(pour 4 à 6 personnes)

Rien ne remplace le goût des vraies frites fraîches… Certes, elles sont un peu plus longues à préparer que les frites surgelées, mais le jeu en vaut la chandelle ! À tremper impérativement dans la sauce à la crème des moules.

Épluchez et lavez **1,5 kg de pommes de terre** et séchez-les bien. Coupez-les en bâtonnets de 1 cm et posez-les sur du papier absorbant.

Pendant ce temps, faites chauffer votre friteuse à 190 °C. Plongez la moitié des frites (ou moins selon la taille de votre friteuse) dans l'huile bouillante pendant 10 min. Remontez le panier, égouttez-le bien. Puis secouez délicatement les frites et replongez le panier 1 min à nouveau pour qu'elles deviennent bien dorées et croustillantes. Une fois cuites, égouttez-les à nouveau et versez-les dans un saladier tapissé de papier absorbant. Recommencez l'opération pour la seconde fournée. Salez bien et servez illico presto.

BARBECUE

Rien de tel qu'un barbecue pour recevoir ses amis en plein été sans se prendre la tête. Pas de vaisselle après la bataille, pas d'odeur en cuisine et tout le monde met la main à la pâte. Le seul hic ? Il faut être très vigilant quand vous vous lancez dans un barbecue : éloignez les enfants, une brûlure est vite arrivée et bannissez les vêtements en fibres synthétiques, ils sont particulièrement inflammables.

LES DEUX STARS DES BARBECUES

LES VIANDES

Toutes les viandes peuvent être préparées au barbecue. Les belles pièces comme les côtes de bœuf sont délicieuses natures ; pas besoin de les faire mariner, mieux vaut les déguster brutes. Pour les petits budgets, pensez aux saucisses (merguez et chipolatas) ; n'oubliez pas de les piquer avec une fourchette avant de les cuire pour éviter qu'elles n'éclatent lors de la cuisson.

····⫸ **Au top avec...**
Des moutardes parfumées (estragon, poivre vert ou miel) et évidemment de la moutarde à l'ancienne, de la sauce bourguignonne, barbecue, béarnaise ou tartare. Pensez à parsemer vos viandes de fines herbes finement coupées juste avant de servir.

LES POISSONS

Les petits poissons (sardines, maquereaux ou rougets) peuvent être grillés entiers. Dans ce cas, demandez à votre poissonnier de ne pas les écailler pour qu'ils gardent tout leur moelleux. Pour les autres, préparez-les soit en pavés à poser directement sur la grille côté peau (badigeonnez-les d'huile d'olive pour éviter qu'ils n'accrochent), soit en papillotes, ou encore en brochettes.

····⫸ **Au top avec...**
Une sauce yaourt et fines herbes (voir la recette du pavé de saumon, p. 132), un filet de jus de citron, une sauce au beurre et aux câpres.

MAIS LES BARBECUES, C'EST AUSSI...

DES LÉGUMES GRILLÉS

Tous les légumes ou presque peuvent se prêter au jeu. Faites-les griller directement sur la grille pour les plus gros d'entre eux (aubergines, poivrons rouges, jaunes et verts) ou piqués sur des brochettes quand les légumes sont trop petits (oignons, champignons, tomates cerises). Pensez aussi aux épis de maïs à croquer avec 1 noisette de beurre fondante. Pour éviter que les légumes ne collent à la grille, il suffit de les badigeonner d'huile d'olive ou de beurre fondu avant de les cuire.

DES FRUITS GRILLÉS

Quelques minutes de cuisson suffisent pour obtenir de délicieuses brochettes de fruits. Pour leur donner plus de saveur, arrosez-les d'un filet de jus de citron puis badigeonnez-les de miel liquide ou bien de sucre (et notamment de sucre vanillé).

COMMENT PARFUMER VOS GRILLADES ?

Pour une agréable saveur de fumée de bois, ajoutez en cours de cuisson 1 à 2 poignées de copeaux de bois (hêtre, noyer, chêne ou pommes de pin) que vous trouverez dans les jardineries ou les grandes surfaces. Pensez à faire tremper ces copeaux dans un saladier d'eau pendant 30 min. Vous pouvez aussi saupoudrer les braises d'herbes aromatiques : romarin, thym ou laurier. L'autre solution pour parfumer viandes et poissons : il suffit de les saupoudrer d'herbes de Provence, de paprika, de cumin, de 1 pincée de piment en poudre ou encore d'ail haché. Vous pouvez aussi les faire mariner au préalable.

2 MARINADES POUR UN SUCCÈS GARANTI

Les marinades parfument vos viandes et vos volailles et les rendent ultra-moelleuses.

MARINADE À L'ORIENTALE

Dans un plat creux, mélangez bien **4 cuil. à soupe d'huile d'olive** avec **4 pincées de cumin en poudre**, **4 pincées de cannelle**, **2 cuil. à café de graines de sésame**, **2 gousses d'ail hachées**, **2 oignons finement coupés** et **2 cuil. à soupe de miel liquide**. Déposez la viande en la retournant bien pour l'assaisonner sur toutes les faces. Puis, laissez mariner 1 h environ.

MARINADE SIMPLISSIME

Il suffit de déposer votre viande dans un fond de sauce teriyaki et de la laisser mariner 3 h environ au frais. Sachez que cette sauce japonaise à base de soja, vin et épices est vendue toute prête dans les rayons exotiques des grandes surfaces.

RECETTE EXPRESS : PONT-L'ÉVÊQUE SUR LE GRIL

Rien de plus simple... Déballez 1 pont-l'évêque et replacez-le dans sa boîte (sans étiquette). Faites une croix au centre du fromage à l'aide de la pointe d'un couteau. Refermez le couvercle et posez la boîte en bois directement sur la grille du barbecue. Laissez cuire 20 min environ. À déguster coulant avec des tranches de pain de campagne toastées.

---} **Attention** : vérifiez que la grille est suffisamment éloignée des braises pour éviter que la boîte ne prenne feu.

TABLE DES RECETTES

TABLE DES MATIÈRES

Illustrations

© Mariette Guigal (h=haut ; b=bas ; g=gauche ; d=droite) :
pp. 10, 11, 12, 13, 14, 15, 16, 17h, 33h, 56h, 57h, 100b, 123b, 149h, 174, 175, 176, 196d, 197b, 198, 199,
ainsi que pour le dessin de Cyril Lignac présent sur toutes les pages recettes.

Crédits photographiques

© Jean Bono : pp. 127, 163
© Alexandra Duca : pp. 27, 45, 47, 53, 57, 67, 85, 121, 131, 133, 171, 183, 185, 187.
© Éric Fénot : pp. 21, 37, 39, 41, 43, 61, 63, 65, 71, 85, 89, 91, 97, 111, 113, 115, 117,
129, 135, 137, 139, 143, 145, 147, 155, 157, 159, 165, 169, 179, 181, 189, 191.
© Jean-Baptiste Pellerin : pp. 23, 49, 69, 93, 99, 153, 161.
© Nathanaël Turpin-Griset : pp. 107, 109.
© Philippe Vaurès-Santamaria : pp. 6, 25, 29, 31, 51, 73, 75, 77, 95, 105, 119, 141, 167.
Photos de couverture :
© Antonio Mo / Getty images, photo en haut à gauche
© Philippe Vaurès-Santamaria, photo en bas à gauche
© Jean-Baptiste Pellerin, photo à droite

Remerciements

Aude de Galard et Leslie Gogois remercient les personnes suivantes :
Cyril pour son enthousiasme et son accent chantant du Sud,
Brigitte, Christine et Vanessa la fine équipe d'Hachette.
Mais aussi Adri et Cricri, nos papas et tous nos copains pour avoir joué les cobayes.

© 2005, HACHETTE LIVRE (Hachette Pratique) – M6 Éditions.

OUI CHEF! ™ FremantleMedia France S.A.S. Licence par FremantleMedia
Licensing Worldwide. www.fremantlemedia.com

Direction : Stephen Bateman (Hachette Pratique) / Caroline Facy (M6 Éditions)
Direction éditoriale : Pierre-Jean Furet
Responsable éditoriale : Brigitte Éveno
Édition : Christine Martin assistée de Vanessa Martel (Hachette Pratique) / Chef de produit : Stéphanie Pelleray (M6 Éditions)
Correction : Marie-Charlotte Buch-Müller
Conception intérieure : Claire Guigal
Réalisation intérieure : LBH labs
Couverture : Claire Guigal
Fabrication : Claire Leleu
Responsable partenariats : Sophie Augereau au 01 43 92 36 82

Dépôt légal : Avril 2009
ISBN : 978-2-0123-5819-5
23-5819-0/16
Impression : Cayfosa Quebecor, Barcelone, Espagne.